Le Tombeau de Napoléon.

Je désire que mes cendres reposent sur les bords de la Seine, au milieu de ce peuple français que j'ai tant aimé.

LA BELLE FRANCE

A FRENCH READER

FOR BEGINNERS

BY

ADOLPHE DE MONVERT

WITH ILLUSTRATIONS
PREPARED AND ARRANGED BY
CHARLES H. MUNSON

——·•>¤<•·——

ALLYN AND BACON

Boston   New York   Chicago

.EDI

Norwood Press
J. S. Cushing Co. — Berwick & Smith Co.
Norwood, Mass., U.S.A.

PREFACE

THIS book is the outcome of several years of teaching, both in college and in the high school, and of experience with various textbooks. It tries to furnish material so interesting that students will enjoy reading it, so well graded as to fit the pupil for more difficult French, and, above all, so thoroughly French in thought and feeling as to create in the heart of the reader an appreciation of the French people and a love for their beautiful land.

The Reader covers about a year's work and may be put into the hands of students after five or six weeks' study in a standard grammar. The first chapters introduce only simple regular forms. The vocabulary of the whole book is largely based on words similar in French and in English.

The fact that the book was written in France should appeal to the student. The scenes described were witnessed by the writer and his friend. Notes of the various incidents were made on the spot and written out while the recollection was fresh in mind. The illustrations are from photographs taken at the same time.

The author wishes to thank the friends who have assisted him with suggestions. The publisher Charles Delagrave kindly gave permission to insert *La Poule* and *Les Petits Lapins* from *Le Livre des Petits*, of J. Aicard.

A. DE M.

AUGUST, 1916.

CONTENTS

	PAGE
LIST OF ILLUSTRATIONS	vi

LA BELLE FRANCE:

En Voyage	1
En France	12
En Normandie	15
Paris	37
Versailles	83
Retour en Normandie	92
Le Mont Saint-Michel	103
En Bretagne	112
Au Pays des Châteaux	124
Dans le Midi	152

POEMS:

La Poule	Jean Aicard	176
Les Petits Lapins	Jean Aicard	177
La Tortue et les Deux Canards	La Fontaine	177
Le Rat de Ville et le Rat des Champs	La Fontaine	178
Les Deux Chèvres	La Fontaine	179
Romance de la Bergère	Philippe d'Eglantine	180
Ecrit au bas d'un Crucifix	Victor Hugo	181
Extase	Victor Hugo	181

NOTES	183
QUESTIONNAIRE	195
VOCABULARY	1

LIST OF ILLUSTRATIONS

1. Le Tombeau de Napoléon . . . . . *Frontispiece*

PAGE

2. Some companions "en voyage" 1
3. A French tar: Jean Calas from Bretagne 4
4. Games on deck of the rolling ship in mid-ocean . . 5
5. In mid-ocean 7
6. Chambre des Députés, Paris . . . *facing* 10
7. A first-class French railway coach 13
8. The Maid of Orleans, Joan of Arc 15
9. Houses of the time of Joan of Arc, Rouen . . . 16
10. Tower of Joan of Arc, Rouen 18
11. Potato merchant and customers 19
12. Team-work in France 19
13. Peddler of Armenian papers, Rouen 21
14. Ancient church at St. Wandrille 23
15. Gate of the Abbey at St. Wandrille 24
16. A perfect road 26
17. The Angelus 29
18. La vache blanche 30
19. French draymen 32
20. La Foire aux Chevaux 32
21. Le Palais de Justice, Rouen 36
22. L'Eglise de la Madeleine, Paris 38
23. Parisian school children 41
24. Hôtel de Ville, Paris . . . . . *facing* 44
25. La Bourse, Paris . . . . . " 48
26. A trolley car at Rouen 49
27. Notre-Dame de Paris 51
28. Le Panthéon, Paris . . . . . *facing* 52
29. Gargoyle on Notre-Dame 55

PAGE

30. Trocadéro, Paris . . . . . . *facing* 58
31. Arc de Triomphe de l'Etoile, Paris . . . " 62
32. La Tour Eiffel, Paris. . . . . . " 66
33. Peddler of clams 68
34. Place de la Concorde, Paris . . . . *facing* 70
35. A French soldier of a Zouave regiment . . . 72
36. French troops entraining at Belfort, August 2, 1914 . 73
37. The French National Guards 74
38. L'Eglise Saint-Etienne du Mont, Paris . . *facing* 78
39. L'Opéra, Paris . . . . " 82
40. Statue of Louis XIV at Versailles 84
41. Charge des Cuirassiers à Reischoffen, Versailles *facing* 86
42. Apollo group in royal gardens, Versailles . . . 90
43. French children in the park 91
44. The flower market, Granville 93
45. A narrow street of Granville 94
46. Spanish pottery seller, Granville 97
47. Washing in Normandy 100
48. Floating laundry outfit on the river Seine . . . 101
49. Mont Saint-Michel 104
50. Span and wagon that carry the traveler over the dangerous
     quicksands at Mont Saint Michel 106
51. Thatched cottage 112
52. A well by the wayside 113
53. Maidens of Bretagne 117
54. Château de Blois 125
55. The oldest house in Rouen — Museum of Antiquities . 130
56. An ancient farmhouse, Blois 133
57. Stacks of faggots made out of twigs of grapevines . . 134
58. The approach to the Château of Chambord . . . 139
59. The Château of Chambord 142
60. The famous bridge of Avignon 146
61. The new entrance of the Pope's Basilica at Avignon . 147
62. Medieval watch tower in the Pyrenees . . . 153
63. Cascade Sidonie, Pyrenees 155
64. An old street in Lunel 162
65. The tower of Constance, Aigues-Mortes . . . 165
66. Carcassonne, the old city 166

		PAGE
67.	The outer wall of Carcassonne	167
68.	Fishermen on the Aigues-Mortes Canal	169
69.	Fishermen returning, Grau du Roi	170
70.	Roman arena, Nîmes	172
71.	The Roman temple, or Maison Carrée, at Nîmes	174
72.	La Tour Magne, Nîmes	174

MAPS AND PLANS

Map of France (colored)	*following*	viii
Map of the route taken by the author	*facing*	1
Plan of Paris	"	37

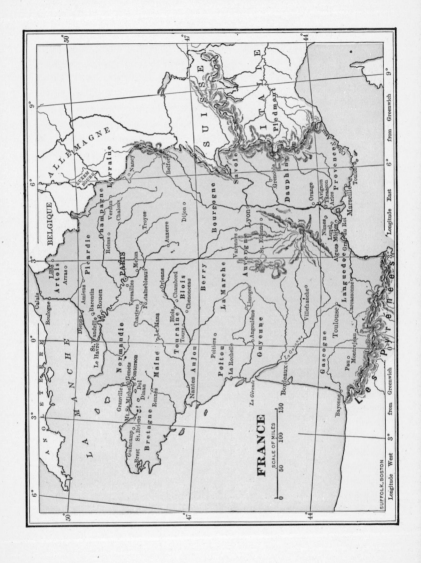

FRANCE

SCALE OF MILES

0   50   100   150

SUFFOLK, BOSTON

LA BELLE FRANCE

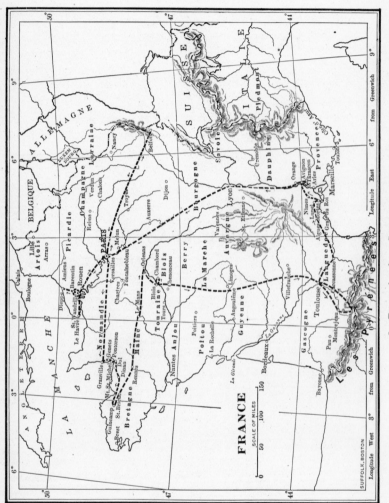

La Route des deux Compagnons.

LA BELLE FRANCE

EN VOYAGE

Le bateau est français.

Nous sommes deux amis américains en route pour la
France. Nous voyageons dans un bateau français. Le
capitaine, les officiers, les garçons de cabine, les matelots
parlent français. Tous les règlements et tous les menus
sont en français. 5

Nos compagnons de voyage.

Nous remarquons parmi les voyageurs plusieurs dames
qui parlent français et qui parlent aussi anglais. Elles

Compagnons de voyage.

comprennent ces deux langues à la perfection. Ce sont
des institutrices qui vont passer les vacances en France.
Elles enseignent le français dans des écoles américaines. 10

1

Nous avons d'autres compagnons de voyage qui sont très charmants, des Américains, des Italiens, des Espagnols, des Belges. Tous les voyageurs parlent et comprennent le français.

La cabine et le garçon.

5 " Notre cabine est très petite, dit mon compagnon de voyage.

— Elle est assez grande pour contenir quatre couchettes, une chaise et quatre lavabos, répondis-je.

— Oui, mais où est le savon ?

10 — Mon ami, les Français ne fournissent pas de savon aux voyageurs, ni sur les bateaux ni dans les hôtels. Chaque voyageur apporte son savon."

A ce moment, notre garçon de cabine entre. Il vient faire notre connaissance, il est très poli. Il parle bien
15 le français, mais son anglais est déplorable. Il apporte nos bagages et les arrange sous nos lits ; ensuite il nous montre la salle à manger.

" Le maître d'hôtel vous donnera des places, dit-il.

— Très bien, dit mon ami, nous allons lui parler immé-
20 diatement." Le maître d'hôtel est aussi poli que le garçon, il nous donne nos places.

L'Espagnol farouche.

Il y a un monsieur formidable parmi les voyageurs. Il est très gros, porte une grande barbe noire et a une moustache énorme. Sa voix est formidable et il a l'air
25 farouche. Il parle l'espagnol, mais il comprend parfaitement le français. Quand il parle ou quand il rit, le vaisseau tremble. Les dames l'écoutent avec épouvante ; heureusement que son caractère est plus agréable que sa voix. Il n'est pas méchant, au contraire, il a de bonnes
30 qualités. Souvent les apparences sont trompeuses.

Les petites sœurs.

Voyez-vous ces dames habillées de blanc et de noir ?
Ce sont des sœurs et des novices qui vont passer quelques
mois en France. Elles ne se mêlent pas aux autres
voyageurs, mais le soir elles se promènent sur le bateau
et chantent. Ecoutez leurs voix douces et claires : elles 5
chantent des chansons patriotiques ou des cantiques.

" Ces sœurs et ces novices ont des manières très char-
mantes, dit une dame américaine.

— Et elles chantent bien, répond une dame française.
J'aime leurs voix douces et claires. Elles vont en France, 10
elles sont aussi institutrices et après avoir passé une année
dans ce pays, elles reviendront aux Etats-Unis. Elles
resteront alors dans un couvent et elles enseigneront la
langue française. Elles sont parfaitement contentes, parfaitement heureuses." 15

Jean Calas.

" Qui chante là-bas ? dis-je à mon ami. J'entends une
forte voix d'homme.

— C'est Jean Calas, dit-il, un matelot qui vient de la
Bretagne. Je le connais car j'ai déjà causé avec lui.
Venez, nous causerons avec lui ! 20

— Vous aimez la mer, monsieur Calas ?

— Depuis que j'étais enfant ! messieurs. Je pouvais à
peine marcher quand mon père m'emmena avec lui sur
son bateau.

— Et vous continuez à aimer la mer ? 25

— Nous aimons la mer : la mer est notre vie. Nous
l'aimons quand elle est calme, nous l'aimons dans la
tempête. Les matelots et moi, nous connaissons la mer et
elle nous connaît. Nous travaillons, nous chantons, nous
sommes heureux en mer. Le soir, nous nous réunissons 30

sur le pont et nous
racontons des histoires.
Ah! monsieur! qui n'ai-
merait pas la mer?"

5 Jean Calas sourit et
il entonne un chant de la
vieille France. Ses amis
groupés autour de lui
chantent avec lui la
10 chanson guerrière. Les
institutrices et les sœurs
écoutent avec plaisir le
chant qui leur rappelle la
France.

La lettre du professeur.

15 Nous avons comme
compagnon de voyage un
professeur qui est un
véritable artiste. Il écrit
une lettre à sa mère, let-
20 tre illustrée dans laquelle
il décrit le vaisseau, le
capitaine, les voyageurs,
les enfants. Avec un
crayon il fait le portrait
25 des officiers et des voyageurs.

Matelot français; Jean Calas de
Bretagne.

En ce moment, il dessine l'Espagnol farouche. Voilà
la grosse tête, la formidable barbe noire, la moustache
énorme. Nous le reconnaissons facilement. Si l'artiste
30 pouvait reproduire sa voix de tonnerre!

Le professeur a fini son Espagnol, maintenant il

dessine une petite fille qui joue sur le pont. Nous nous
réunissons autour de lui pour voir son dessin. Chaque
page est un chef-d'œuvre.

"Sa mère sera heureuse de recevoir cette lettre, dit
une dame américaine.   5

— C'est un véritable album, dit mon ami. Au moyen
de cet album, il pourra facilement se rappeler ses compagnons de voyage."

Les courses sur le pont.

Mon ami a invité tous les garçons et toutes les filles à
prendre part aux courses sur le pont. Il a tracé un 10

Jeux sur le pont du bateau en pleine
mer.

point de départ avec
de la craie. A cinquante
pieds de distance, il a
tracé une autre ligne :
c'est le but.   15

"Mes chers amis, dit-
il, alignez-vous ! Nous
allons commencer la
course aux œufs. Pre-
nez chacun une cuillère 20
et tenez-la entre les
dents. Tenez les mains
derrière le dos. Main-
tenant, je vais mettre un
œuf dans chaque cuil- 25

lère, ensuite je vais compter jusqu'à trois. Celui qui
arrivera le premier avec son œuf recevra un prix, un
morceau de chocolat français. Attention !

— Un... deux... trois !

Toute la ligne part, mais il n'est pas facile de 30
courir sur le pont d'un vaisseau qui roule. La mer

est agitée. Cependant une jeune fille réussit à arriver
la première.

"Bravo, mademoiselle ! Vous remportez la victoire,
voici votre morceau de chocolat !"

5 Elle s'avance timidement, mais elle est fière de sa
victoire. Ses amis l'applaudissent et les voyageurs lui
offrent leurs félicitations.

La grande course aux sacs.

Les courses continuent. Deux garçons apportent des
sacs et mon ami dit aux concurrents de s'aligner. Les
10 petits garçons et même les jeunes filles se fourrent dans
les sacs. Mon ami compte :

"Un !... deux !... trois !... Allez !..."

Ils partent tous, ils sautent comme des grenouilles.
Les garçons devancent les filles : qui va gagner ? La
15 foule encourage qui les garçons, qui les filles. Les enfants sautent, courent, tombent, se relèvent. La course
aux sacs n'est pas facile sur la terre ferme, imaginez donc
si elle est difficile sur le pont d'un navire qui roule !

Bientôt un petit garçon, nommé Jimmie, devance tous
20 les autres. Il gagne et la foule applaudit. Mon ami lui
tend le prix de la course ; un morceau de chocolat français. Jim se dépouille de son sac et va recevoir le prix
de sa victoire. Il est fier et content ; il prend le morceau de chocolat et remercie poliment mon ami, puis il
25 donne la moitié de son morceau à une petite fille, évidemment sa sœur, tant ils se ressemblent. Les deux mangent
le chocolat et se préparent pour la course suivante.

Les marsouins.

"Venez !... venez voir les marsouins ! Venez tous !"

A ce cri les courses cessent et tous les hommes, toutes
30 les femmes, tous les enfants se précipitent sur le pont

supérieur pour aller voir cette merveille de la mer, les
marsouins.

En effet, les voilà! Les poissons vont vite, ils viennent
vers le bateau; on dirait qu'ils ont appris à nager en
ligne droite. Ils ne sautent ni à droite ni à gauche; ils 5
viennent comme des écoliers conduits par leurs maîtres.

Au large.

Mon ami, qui n'a jamais vu de marsouins, tâche de les
compter:

"Ces poissons sont nombreux, dit-il, comptons-les, si
nous pouvons. 10

—Un, deux, trois, quatre, cinq...dix, vingt!... Impossible de les compter. Ils sautent hors de l'eau de
tous les côtés; il nous semble que la mer est remplie de
marsouins....

—Ils viennent vers notre bateau, dit mon ami, comme 15
s'ils le connaissaient.

—Ils viennent dîner avec nous, dit une grosse voix

derrière nous.   Je reconnus immédiatement la voix de
notre Espagnol.

— Il va effrayer ces marsouins avec sa voix d'ouragan,
me dit mon ami.

5   — N'ayez pas peur ! ces poissons sont habitués au tonnerre et à la tempête.

— Ces marsouins connaissent les bateaux français, dit
l'Espagnol ; ils nous accompagnent à chaque voyage, car
ils aiment le pain, les choux, les restes de viande que les
10 garçons leur jettent.   Ils semblent préférer la cuisine
française et ils ne manquent jamais de faire visite aux
bateaux de cette ligne.   Je les vois chaque fois que je
fais la traversée et je suis sûr qu'ils connaissent personnellement le chef de cuisine du bateau."

15   L'Espagnol alluma un cigare et alla se promener sur
le pont.   Nous restâmes à regarder les marsouins.   Ils
avaient fini de manger les restes de table ; ils sautèrent
encore un peu hors de l'eau et puis ils disparurent.

Une soirée en mer.

Tout le monde est invité au salon, nous allons avoir
20 une soirée musicale.   Les sœurs, les enfants, les institutrices, l'Espagnol farouche, le professeur artiste, mon
ami et moi, tous nous nous rendons au salon.

D'abord nous chantons la Marseillaise.   Nous la chantons de bon cœur car la musique est belle, et puis nous
25 sommes sur un bateau français.   Ensuite un voyageur
chante une ballade américaine et comme nous la connaissons tous, nous la chantons ensemble.   C'est une ballade
du Sud, *Suwanee River*, et ses notes plaintives nous font
penser au beau pays de chez nous.

30   Une vieille dame française qui a conservé toute la vigueur de sa première jeunesse, commence à chanter une

chanson qui est bien connue de tous les Français :
l'Histoire d'un Petit Navire.

"J'aime cette chanson, me dit mon compagnon de voyage ; je vais la chanter à mon retour en Amérique."

A ce moment le formidable Espagnol s'approche du piano. Il s'assied et commence à jouer. Tout le monde le regarde : il va certainement casser les touches ! Malheur au pauvre instrument ! Les sœurs, les novices, les enfants le regardent avec épouvante, il fait des gestes terribles ! Il se tourne vers nous : 10

"Messieurs et mesdames, dit-il, je ne fais pas souvent de la musique. Seulement ce soir je me sens inspiré et je me ferai un plaisir de vous jouer mon morceau de prédilection."

Sa voix roule comme le tonnerre qui approche, il 15 lève les deux mains, il va les abattre sur le pauvre instrument....

Il joue la *Chanson de Printemps* de Grieg, mélodie simple et gracieuse que les dames et les jeunes filles aiment à jouer et à entendre. On dirait la main d'une 20 jeune demoiselle passant doucement sur les touches d'ivoire : au lieu de l'ouragan nous avions la brise !

Nous voyons la France.

Après avoir passé plusieurs jours en mer, on commence à trouver la vie un peu monotone. On connaît les voyageurs, on parle au capitaine, aux officiers, aux garçons. 25 On se fatigue de la vie en mer. Et puis les vues se ressemblent, le bateau occupe le centre d'un cercle dont l'horizon forme la circonférence. Le cercle semble rester toujours à la même place tandis que l'horizon demeure immobile. Le mouvement du bateau nous avertit que le bateau 30 marche toujours.

Mon ami et moi, nous nous promenions sur le pont,
quand tout-à-coup un voyageur s'écria : " La terre !... je
vois la terre !... "

En un clin d'œil tout le monde fut sur le pont.   L'Es-
5 pagnol, car c'était bien lui, ne s'était pas trompé.   " En
effet, dis-je à mon ami, je vois la terre, là-bas à l'horizon.

— Je vois une ligne, dit-il, mais je la vois indistinctement.

— Néanmoins vous voyez la terre.   Bientôt la ligne
10 deviendra plus noire et vous pourrez distinguer de petites
élévations sur la ligne, ce sont les collines.

— Je vois aussi de petits points blancs, dit-il, qui ap-
paraissent et qui disparaissent continuellement.

— Ce sont des bateaux de pêche qui ont des voiles
15 blanches.   Mais regardez ! voyez-vous le bateau qui vient
là-bas et qui s'avance tout droit vers nous ? C'est le
bateau qui nous amène le pilote.   Il sera ici dans quelques minutes et nous verrons le pilote venir à bord."

Le pilote de la Manche.

Pourquoi faut-il donc un pilote dans la Manche ?
20 Notre capitaine ne saurait-il pas diriger son bateau au
port ?   Oui et non !   Il y a dans cette mer certains dangers qu'un pilote seul peut bien connaître.   Les courants
et les abords de la côte changent et pour cette raison le
gouvernement français ne permet pas à un vaisseau
25 d'aborder sans pilote.   Celui-ci est un guide diplômé qui
a subi des examens rigoureux pour prouver son savoir.

Le gouvernement ne paie pas de salaire aux pilotes.
Ceux-ci sont payés par les compagnies maritimes qui les
emploient.   Ils sont tout le temps en mer : ils attendent
30 l'arrivée du bateau.   Pendant les tempêtes seulement ils
restent dans les ports.   Leur responsabilité est très grande,

La Chambre des Députés.

surtout aux jours de tempête, car la vie des voyageurs
dépend de leur habilité et de leur prudence.

Le bateau du pilote s'est approché de notre vaisseau
qui le protège contre le vent. Cette protection permet
aux matelots qui l'accompagnent, de descendre dans une 5
chaloupe et de ramer jusqu'à l'échelle qui est suspendue
à notre pont. Nous pouvons distinguer le pilote : c'est
un homme à l'air modeste, on ne dirait pas qu'il est venu
pour diriger notre bateau au port.

Mais, le voilà qui se lève ! Son petit bateau monte et 10
descend avec les vagues, mais à un moment donné il
s'élance, saisit l'échelle des deux mains et monte rapidement au pont. Quelques minutes après nous le voyons
sur le pont des officiers, donnant ses ordres. Entre temps
les matelots qui l'ont amené jusqu'à notre bateau ont 15
disparu : eux aussi s'en vont en France.

Le Havre.

Voilà devant nous la France ! Nous approchons du
Havre et tout le monde est content. Les Français
saluent avec joie et émotion leur belle patrie. Les
Américains, les Belges, les Espagnols, les Italiens se 20
joignent à leurs compagnons et saluent à leur tour la
douce France.

Nous sommes maintenant tous sur le pont, nous nous donnons la main, nous nous disons un dernier au revoir, nous
nous préparons à descendre. Renault, le brave garçon de 25
cabine qui nous a servis si poliment et si fidèlement, vient
nous serrer la main et nous faire ses adieux. Nous lui
donnons de bon cœur un pourboire qu'il a bien mérité ;
nous espérons qu'un jour nous le reverrons.

Pendant que le bateau s'avance doucement et remonte 30
les eaux du port, je contemple avec plaisir le paysage qui

s'offre à ma vue.   Les collines vertes dominent la ville,
je vois distinctement les maisons, les rues.

Tandis que le bateau s'avance de bassin en bassin, les
flâneurs du port viennent se presser au bord de l'eau pour
5 voir le vaisseau et les voyageurs.   Ils nous crient de loin
la bienvenue et nous leur répondons avec plaisir.

Cependant le bateau est arrivé à son quai et il s'arrête.
Des matelots qui sont à terre, jettent une passerelle
sur notre bateau, nous empoignons nos bagages, nous de-
10 scendons, nous sommes en France !

EN FRANCE

A la douane.

N'est pas libre qui veut !   Nous avons encore à remplir certaines formalités avant d'entrer dans la bonne
ville du Havre.   Nous devons passer à la douane.

Les employés de la douane nous invitent à entrer dans
15 une grande salle, où ils vont examiner nos bagages.
Inutile de dire qu'ils sont polis.   Nous remarquons que
les Français aiment les Américains et se plaisent à leur
rendre service.

Un douanier s'approche et je ne puis m'empêcher de
20 regarder sa moustache énorme.   C'est une véritable forêt
de poils qui se dresse sous le nez de ce digne homme.
Elle surpasse en longueur et en noirceur la fameuse
moustache de notre Espagnol formidable.   Le douanier
est tout aussi gentil que l'Espagnol et il nous prie de
25 déposer nos bagages sur un banc.   Un second monsieur
s'approche :

"N'avez-vous rien à déclarer, messieurs ? dit-il.

—Qu'est-ce qu'il faut déclarer, monsieur ?

—Du tabac, des cigares, des allumettes.

—Je n'ai qu'une boîte d'allumettes, deux ou trois cigares, et un peu de tabac à fumer, dit mon ami.

—En ce cas, monsieur, fermez la valise que vous avez eu la bonté d'ouvrir. Les cigares et le tabac sont pour votre usage personnel ?   5

—Oui, monsieur.

—Cela suffit," dit-il. Puis avec de la craie il fait une marque sur nos bagages et nous nous dirigeons vers la porte où se tiennent deux gendarmes armés de fusils. Ils reconnaissent la marque blanche et ils nous laissent 10 passer. Nous voilà libres et en France !

En chemin de fer.

" Regardez là ! dit mon compagnon.

—Où ?

—Là-bas. Qu'est-ce que cette dame fait derrière le guichet ?   15

Voiture de première classe.

—Elle vend les billets. En France les dames vendent les billets dans presque toutes les gares.

—Et les guichets sont 20 très bas, un homme doit se baisser pour pouvoir parler à la dame.

—Attendez : je vais prendre les billets ! " 25 J'en prends deux pour Rouen troisième classe, aller. Nous sortons de la salle d'attente où un employé examine nos billets. Un moment après nous sommes en voiture.   30

Je regarde mon ami, je ne puis m'empêcher de rire de

son étonnement.   Il est ébahi !   Lui, Yankee, habitué au
luxe des premières et des Pullmans américains se trouve
dans un compartiment de troisième classe en France !
En bon démocrate, il voulait se familiariser avec les gens
5 qui voyagent en troisième : "les gens ordinaires ! Grand
Dieu ! "

Il examine avec le plus grand intérêt les wagons qui
ressemblent à de longues boîtes divisées en comparti-
ments.   Comme dans ·la grotte de Calypso on ne voit
10 dans ces troisièmes ni or, ni argent, ni sculpture.   Les
parois et les sièges sont en sapin dont la couleur originale
s'est perdue sous une couche épaisse de fumée.   L'air est
encore parfumé de tabac français, le bois est saturé de ses
odeurs.

15   Comme il n'y a personne dans le compartiment que
nous deux, mon ami prend son dernier cigare américain.

"Etant donné, dit-il, qu'il n'y a pas avec nous dans le
compartiment des gens du peuple à qui je puisse parler,
je fumerai un bon cigare.   L'odeur vous en fera plaisir.
20 — Fumez toujours ! lui dis-je.   Bien d'autres ont fumé
ici avant vous ! "

Mon ami fume : il s'engage dans un duel avec les
odeurs laissées par les pipes françaises.   Le parfum du
tabac de la Virginie et de la Havane se répand dans la
25 voiture.   Ce bon cigare américain gagne décidément la
victoire ; il me fait oublier les pipes françaises et leur
odeur atroce.

"Dans ces trains les voyageurs se trouvent vis-à-vis
les uns des autres, dit-il.
30 — Ce qui leur permet de se parler.   De chaque côté, il
peut y avoir cinq voyageurs, pas plus.   Ces voyageurs se
regardent et bientôt se causent.   Le Français n'aime pas
à voyager en silence.

—Et les Américains, dit-il, aiment-ils à voyager en silence ?

—Pas plus que les Français," lui répondis-je. Il rit et continua à fumer son gros cigare et la fumée 5 s'envola par les portières.

EN NORMANDIE

Rouen. Jeanne d'Arc.

Jeanne d'Arc.

Nous descendons à Rouen. Vous avez entendu le nom de cette ville, vous connaissez 10 l'histoire de Jeanne d'Arc. C'est une histoire qui ne s'oublie pas.

Ce fut le 13 mai, 1431, que la pauvre fille mourut 15 ici sur le bûcher. Une dalle de marbre blanc indique l'endroit où elle exhala son âme au milieu des flammes. Cette dalle 20 se trouve sur une place publique qui servait de marché même au temps de Jeanne d'Arc. Aujourd'hui les marchands 25 y vendent encore leurs marchandises.

Ce vieux marché est le rendez-vous de touristes venus des quatre coins du monde. On y entend l'histoire de

Jeanne que les voyageurs se répètent.   Un Espagnol la raconte à ses enfants, un Anglais la redit à sa fille.

Des Français viennent se joindre aux étrangers, 5 eux aussi parlent de la jeune bergère, qui mena les armées françaises à la victoire.

Tous les acteurs de ce 10 drame historique ont disparu dans la nuit des siècles, mais la figure de Jeanne d'Arc se détache de plus en plus claire 15 sur l'horizon historique.

Nous regardons la dalle, nous regardons les voyageurs et nous remarquons surtout un petit 20 garçon français accompagné de ses parents.

"Papa, dit-il, y a-t-il dans toute notre histoire une héroïne plus belle, 25 plus noble que Jeanne d'Arc?

—Non, mon enfant, il n'y a pas de plus noble Française....

30 —Elle mourut pour la France, n'est-ce pas, papa?

Maisons de l'époque de Jeanne d'Arc, Rouen.

—Oui, mon fils, c'est son amour pour sa patrie qui la fait vivre dans la mémoire.   Elle aimait la France!..."

La prison de Jeanne d'Arc.

"Allons voir la prison de Jeanne d'Arc," dit mon ami qui s'était beaucoup intéressé à l'histoire de la jeune fille.

Dans un coin de Rouen nous trouvâmes une vieille tour ronde, ancien donjon qui avait appartenu au château 5 de Philippe Auguste. Les pierres de la tour étaient solides comme au jour où les maçons les mirent en place. Les siècles n'y ont pas porté atteinte, ce granit durera toujours.

Un ancien officier sert de garde à ce monument : c'est 10 un bel homme à la barbe et aux cheveux gris. Il nous salue avec politesse et nous fait entrer dans une chambre circulaire comme la tour.

Les murs sont sans décors, l'air est humide et froid.

"Voici, dit notre guide vénérable, la tour où fut 15 emprisonnée Jeanne. On voit encore aujourd'hui la cellule où elle fut enfermée pendant les derniers jours de sa vie. Entrez-y."

Nous entrons dans la petite cellule. A peine pouvons-nous y lever la tête, il serait impossible d'y étendre les 20 bras. La cellule n'est qu'un trou dans le gros mur de granit. Une ouverture pratiquée dans ce mur sert de fenêtre à travers laquelle tombe un rayon de lumière. Triste prison où la jeune fille a dû songer à sa belle campagne, à sa maison au milieu des champs, à la vie 25 libre !

"Jeanne, continua le vieux soldat, resta dans cette prison pendant dix jours. C'est d'ici qu'on la mena au lieu de son supplice."

Nous jetons un dernier regard sur la cellule et ses 30 pierres sombres.

"Au Panthéon à Paris, dit notre guide, il y a un

magnifique tableau qui représente la mort glorieuse de
Jeanne.   Dans la cathédrale d'Orléans une superbe

Tour Jeanne d'Arc, Rouen.

statue s'élève à sa mémoire.   L'histoire commence à
faire amende honorable à la jeune martyre."

Cris des rues.

Je dormais sur les deux oreilles quand un bruit épouvantable me réveilla. Je me levai et j'ouvris ma fenêtre. Le soleil m'envoya un rayon rose : l'heure était donc bien matinale.

" Haricots verts à dix sous la livre !... Petits pois verts à quinze sous la livre !... Cerises à dix sous la livre !... Fraises à six sous la livre !... "

Marchand de pommes de terre.

La voix qui criait dans la rue me fit penser à mon vieil ami espagnol, mais la voix de l'Espagnol était comme la

Coöpération de l'homme et des chiens.

voix d'un enfant comparée à celle de l'homme qui m'avait éveillé. Elle aurait dominé le fracas des canons sur un champ de bataille !

Comme par enchantement la rue se remplit d'hommes, de femmes, de charrettes, de chiens. Les hommes et les chiens tiraient les charrettes, les femmes criaient et vendaient les légumes et les fruits. Toutes ces

voix faisaient un bruit horrible et je ne comprends pas comment les dames françaises pouvaient s'entendre à ce concert. Tout ce que je comprenais, c'était le mot: "la livre." C'était un concert impossible et cependant
5 le bruit n'effrayait pas les bonnes dames qui descendirent dans les rues et achetèrent leurs provisions pour la journée.

Je fermai ma fenêtre et je me remis au lit. Je fis un effort pour m'endormir, mais la tentative fut vaine. Je
10 ne pus me replonger dans le sommeil. Je regardai mon compagnon de voyage. Il était habitué au bruit des rues de New-York et les cris des rues de Rouen ne pouvaient troubler son sommeil.

Papier d'Arménie.

Il était à peu près onze heures du matin quand la paix
15 se fit dans la rue. Les marchands et les marchandes, les chiens et les charrettes avaient disparu.

Les ménagères avaient commencé à préparer les légumes qu'elles avaient achetés à tant de sous la livre. Une odeur de choux et de haricots se répandit
20 dans la rue et dans notre chambre. Je me mis à la fenêtre et je vis que la rue était déserte; il n'y avait qu'un vieux chien qui allait de porte en porte. J'étais à regarder cet animal quand soudainement j'entendis une voix grêle et cassée. C'était encore un cri des rues
25 comme j'en avais entendu tant à l'aurore. Qui était donc ce retardataire de la grande armée des commerçants, qui avait défilé sous notre fenêtre ce matin?

Le chien en entendant la voix sauta de joie, et courut à la rencontre de celui qui criait sa marchandise. Je vis
30 un homme au tournant de la rue, un vieillard qui avait retenu l'allure militaire de sa jeunesse et qui portait sur

l'épaule comme un fusil, un bâton auquel pendaient des
bandelettes de papier. C'était là sa marchandise !

Le chien s'approcha du vieillard et lui lécha la main.
Tout à coup son maître éleva la voix et cria :

"Papier d'Arménie ! Papier d'Arménie !" 5

Personne ne descendit dans la rue, les ménagères
étaient trop occupées. Je résolus de descendre moi-
même et de demander
au marchand à quoi ser-
vait sa marchandise. 10

"Permettez, monsieur,
que je vous demande
à quoi sert ce papier
d'Arménie. Je suis
étranger, pardonnez mon 15
ignorance ! —

—Il sourit et d'un ton
poli : C'est un papier
parfumé, monsieur, qui
se vend en bandelettes. 20
On le brûle dans les
appartements pour les
parfumer et pour en
chasser les odeurs dé-

"Papier d'Arménie !"

sagréables. J'ai beaucoup de clientes qui aiment le 25
parfum de ce papier et qui en brûlent toujours dans leurs
appartements."

Puis prenant une bandelette, il me l'offrit d'un geste
dont la noblesse me surprit.

"Monsieur est étranger et ne connaît pas les coutumes 30
françaises, monsieur brûlera le papier dans sa chambre."

Je voulus lui offrir une pièce de monnaie blanche. Il
la refusa avec dignité :

"Monsieur prendra le papier avec mes compliments!"
dit-il.   Me saluant gracieusement, il continua sa marche.
Son chien le suivit.

Quel était ce mendiant, qui au milieu de sa misère
5 n'avait pas oublié les belles manières de sa jeunesse?
Etait-ce un gentilhomme pauvre?

Saint-Wandrille.

Il y a en Normandie un petit village nommé Saint-
Wandrille.   On y trouve une vieille église et un vieux
monastère dont l'origine se perd dans la nuit des temps.
10 L'église et le village ont retenu la simple beauté du
Moyen-Age.

Nous entrons dans l'église.   Tout nous y invite au
recueillement, à la prière: le silence qui règne dans cet
édifice vénérable, la lumière qui tombe en mille couleurs
15 harmonieuses au travers des vitraux anciens, l'odeur des
cierges éteints qui fait songer aux cérémonies religieuses.

Nous nous asseyons sur les bancs de chêne noircis par
le temps.   Les statues sculptées par les fidèles des générations du Moyen-Age portent aussi l'empreinte des
20 siècles.   Ici une oreille, là un nez ou un bras ont disparu.

Quelques statues tombent complètement en poussière.
Les dalles du pavé sont creusées par les pieds et les
genoux des fidèles.   Combien de générations ont passé
par cette église!
25   Autour du vénérable monument s'étend le cimetière.
Nul monument ne marque les tombeaux que l'herbe
verte recouvre.   Tous sont égaux dans le domaine démocratique de la mort.   Dans un coin du cimetière, un
christ immense étend ses bras en croix.   Sa mère se
30 tient à ses côtés avec Jean, le disciple bien-aimé.   Ces
trois statues semblent parler, penser.

Vieille église à Saint-Wandrille.

Une vieille paysanne vient s'agenouiller devant le christ. Elle prie en silence. Nous ne troublons pas sa prière et nous nous éloignons doucement.

L'abbaye de Saint-Wandrille.

Nous allons frapper à une petite porte grillée que nous apercevons dans un long mur gris, nous nous trouvons à l'entrée de l'abbaye de Saint-Wandrille. Jadis les moines auraient ouvert la porte et leur robe blanche aurait harmonisé avec le gris des murs. Aujourd'hui une Normande en tablier bleu se présente et nous de-

mande cinquante centimes d'entrée. Nous lui donnons
la monnaie, nous entrons.

Nous sommes dans un parc magnifique. Au-dessus de
nos têtes les arbres forment une voûte verte, à nos pieds
5 s'étale un tapis d'herbe et de fleurs. Plus loin nous
apercevons le monastère : une partie des bâtiments est
en ruines, l'autre partie a été restaurée. Les ruines ont
conservé toute la beauté de leur ancienne architecture et
la nature les a encore
10 embellies. Elle a ta-
pissé les murs de mousse
et de fleurs, qui s'agitent
au vent.

Cette abbaye est à
15 présent la demeure du
poète belge, Maeterlinck,
l'auteur de plusieurs
ouvrages célèbres. Il y
a quelque temps on a
20 donné sur ces lieux une
représentation d'un de
ses drames. Monsieur
Maeterlinck aime ces
ruines splendides et son

Grille de l'Abbaye, Saint-Wandrille.

25 âme d'artiste veille à leur conservation. Il ne tolère
nul acte de vandalisme et la concierge ne quitte pas un
moment les touristes qui viennent visiter l'abbaye.

Nous avons parcouru ces lieux intéressants, nous allons
continuer notre chemin. Mon compagnon me montre
30 une inscription qui m'explique pourquoi la concierge
nous a demandé cinquante centimes. M. Maeterlinck veut
que les touristes fassent l'aumône, et la monnaie qu'ils
donnent en entrant sert à aider les pauvres du village.

Je demande à la dame la permission de m'asseoir et d'écrire mes notes.

"Je regrette de ne pas pouvoir vous donner cette permission, dit-elle, mais nos ordres sont formels. Il est défendu d'écrire ici ou de faire des photographies." 5

Je vais m'asseoir sur une vieille pierre près du calvaire. J'écris à l'ombre d'un arbre. La bonne paysanne prie toujours agenouillée devant le christ immense. Du haut du clocher, la cloche appelle les fidèles à la prière de midi. 10

Une promenade en Normandie.

"Comme ces chemins sont bien entretenus! me dit mon compagnon, nous n'avons rien de pareil aux Etats-Unis.

— C'est vrai! les Français prennent bien soin de leurs chemins. Ils emploient des cantonniers qui passent tout leur temps à les réparer et à les tenir en bon état. 15 Aussitôt qu'un trou se forme, le cantonnier le remplit de gravier.

— Le service des ponts et chaussées est bien organisé. Chez nous en Amérique quand il y a un trou, il se passe bien du temps avant qu'on le remplisse. Ici on ne laisse 20 pas le temps à l'eau de s'accumuler, les cantonniers vont examiner les chemins tous les jours, ils maintiennent une surveillance rigoureuse.

— C'est pourquoi les routes sont superbes. En aurons-nous jamais de pareilles? 25

— Aussitôt que les habitants des Etats-Unis le voudront. Il est vrai que la population plus nombreuse de la France lui permet de surveiller ces routes de plus près. Cependant nous faisons du progrès en Amérique; dans quelques années, nous aurons des chemins aussi 30 beaux que ceux de ce pays.

—Il faut l'espérer. Mais qui est cet individu en
blouse bleue qui vient vers nous avec sa charrette ? Il
porte une casquette sur laquelle je vois une inscription
en lettres d'or. Cet homme me semble un peu différent
5 des autres paysans de la Normandie.

—C'est un cantonnier : allons lui parler, nous le trouverons courtois comme tous les Français."

Le cantonnier et le foin.

Nous nous approchons de notre homme. Il est très
affairé, il est venu chercher le foin qui se trouve le long
10 du chemin. Il jette ce
foin sur la charrette où
une jeune fille l'entasse
avec les pieds.

"Bonsoir, monsieur
15 le cantonnier, bonsoir,
mademoiselle, dit mon
ami, qui veut un peu
essayer son français."

Les gens nous regar-
20 dent avec étonnement.
Mon ami ne comprend pas.

"Dites *bonjour*! lui
dis-je, il fait encore bien
clair et le mot *bonsoir*
25 ne se dit qu'à la tombée
de la nuit.

L'orgueil du cantonnier : une route
parfaite.

—Bonsoir ... hum ...
bonjour, dit mon compagnon. Comment allez-vous ?

—Admirablement bien, et vous messieurs ?

30   —A merveille ! Nous sommes venus faire un voyage
dans ce pays et nous trouvons la Normandie superbe.

— Je vous remercie, messieurs. Vous êtes étrangers ?

— En effet. Permettez-nous aussi, monsieur le cantonnier, de vous dire que vos chemins sont parfaits, nous
n'en avons pas trouvé de plus beaux !

— Vous êtes bien aimables de me dire cela. Je suis 5
très fier de ma section du chemin et j'apprécie vivement
le compliment de ces messieurs. Sont-ils Anglais ?

— Non ; Américains ! Nous faisons le tour de la
France ; inutile de vous dire que nous nous y plaisons,
surtout dans votre Normandie. 10

— Il y a bien des voyageurs qui viennent par ici. Ils
me parlent souvent des Etats-Unis, je voudrais bien y faire
un voyage. On dit que les Etats-Unis sont beaux.

— Il y a beaucoup de Français dans notre pays. Un
jour vous nous ferez visite. 15

— Papa n'aime pas à se déplacer, dit à ce moment la
jeune demoiselle qui avait suivi la conversation, il est
très attaché à son coin de terre. Il aime sa section de
chemin, il s'y promène tout le temps. Et puis il ne voudrait
pas se défaire de son cheval qu'il croit le meilleur du 20
monde. Voyez un peu, messieurs, c'est papa qui a coupé
tout ce foin. . . .

— Est-il possible ? et à la faux ?

— Oui ! messieurs, continue la jeune demoiselle, papa
aime à travailler. 25

— Croyez-vous, monsieur le cantonnier, dit mon compagnon, que le foin va vous payer de votre travail ?

— En effet. Le foin des grandes routes est le meilleur
du monde. L'année dernière, j'avais une vache qui était
malade et le pauvre animal ne pouvait presque plus man- 30
ger. Le vétérinaire lui avait donné un remède, mais elle
continua à empirer. Je me décidai à lui donner de cette
herbe et rien d'autre. La vache se rétablit."

Chaque pays a ses superstitions : étions-nous ici en
présence d'une vieille superstition normande ? Quel
était donc l'effet thérapeutique de ce foin de grand
chemin ?

5 Nous causâmes quelques instants, nous allions continuer notre promenade.   Mon ami, s'adressant au cantonnier et à sa fille, n'espérant nullement les revoir dans
cette vie, mais désireux de ne plus les offenser par un
" bonsoir " ou un " bonjour " mal à propos, leur dit en
10 souriant : " Au revoir."

Paysages normands.

Qui fera la description de la Normandie ? Pays où
toutes les fermes sont pittoresques, où les champs ressemblent à des jardins, la campagne à un vaste parc ?   L'or
du blé se mêle au rouge des trèfles.   Sur un fond de
15 feuilles vertes se détachent les cerises écarlates et les
pommes dorées.

Devant chaque maison il y a un jardin où fleurissent les
roses et où les sentiers sont bordés de fraisiers.   L'œil
s'y plaît aux mille couleurs, au calme, à la richesse du
20 paysage.   Les récoltes abondantes donnent à la campagne un air d'opulence, les fermes fleuries, un air de
contentement et de bonheur.

Nous voyons un groupe de petits garçons en train de
pêcher dans un étang, les pieds dans l'eau claire, la tête à
25 l'ombre d'un grand chêne.   Ils rient, ils parlent à haute
voix, ils sont heureux.   S'ils ne prennent pas beaucoup
de poissons, ils se sentent libres au grand air, dans un
des plus beaux pays du monde.

" Ils me rappellent Huckleberry Finn ou Tom Sawyer,
30 me dit mon ami.

— En effet, ils ressemblent à des gamins américains.

J'aime à voir leurs grands yeux noirs, leurs joues rouges,
leurs corps solides.   Quand ils rient, ils montrent des dents
blanches comme la neige, et ils ont l'air bien vigoureux !

L'Angélus

Trois fois par jour l'Angélus appelle les fidèles à la prière.

—Ils forment un beau groupe, un groupe qui est en
harmonie avec ce paysage.   Si Mark Twain les avait vus, 5
il aurait aimé à les étudier !

—Peut-être aurions-nous eu un Tom Sawyer français.
La comparaison eût été intéressante.

—Vous auriez vu qu'après tout, les garçons se ressemblent, en France et en Amérique.   Vous auriez trouvé 10
peu de différence.   Ils aiment tous la vie, le grand air, la
liberté."

Vaches normandes.

   " Avez-vous jamais vu de plus belles vaches ? dis-je à
mon ami.   Regardez donc ces peaux lisses.   On dirait
que le fermier les a brossées ce matin.

   —C'est ce qu'il a fait, en effet, nous dit un jeune
5 homme qui avait entendu mes paroles.   Nous brossons
les vaches tous les matins.

Julian Dupré.

La vache blanche.

   —Vous les soignez bien, les animaux sont gras et d'une
taille immense.   Evidemment ce sont des animaux de
grande valeur ?

10   —Oui, messieurs.   Prenez la blanche aux taches noires,
elle donne vingt litres de lait par jour.   La vache à côté
en donne vingt-quatre.

   —Ce qui fait de huit à dix gallons par jour en mesure

américaine, c'est à ne pas le croire.   Chez nous de telles
vaches sont extrêmement rares.

— Voilà la gardienne du troupeau qui arrive, dit notre
Français.   Elle va changer les vaches de place, vous
voyez qu'elles sont attachées à des pieux dans ce champ 5
de trèfle.   Toutes les deux heures, elle vient les prendre,
elle les mène à un étang pour leur donner à boire, puis
elle les met dans des places nouvelles.   De cette façon,
elles peuvent manger tout un champ sans le piétiner.

— Vous n'avez pas peur des vaches, mademoiselle ?   10

— Peur ?   Elle sourit. — Peur ? mais ces animaux sont
doux comme des chiens.   Elles ne feraient de mal à personne, voyez comme elles sont gentilles ! "

Elle met le bras autour du cou des vaches, elle les
caresse de la main et les animaux se laissent faire.   Ils 15
connaissent la jeune fille.

"Celle-ci, dit-elle, est la meilleure.   Papa n'a jamais
voulu la vendre, nous l'avons depuis des années.   Nous
l'aimons tous parce qu'elle est si douce, et puis elle donne
des quantités de lait."   20

La jeune Normande regarde l'animal avec orgueil, elle
le mène vers l'étang et nous continuons notre chemin.

Le paysan et ses chevaux.

Dans une vallée, un paysan labourait la terre.   Ses
chevaux étaient superbes.   "Allons voir cet homme et
ces animaux ! me dit mon compagnon.   25

— Volontiers ! répondis-je.   Nous descendîmes dans la
vallée et le laboureur s'arrêta.

— Nous avons trouvé vos chevaux si beaux que nous
sommes venus les voir de près.

— Je suis content de vous voir, messieurs.   Je suis 30
fier de ces deux animaux.

— Ils me rappellent les magnifiques chevaux que nous voyons en Amérique, dit mon compagnon, les jours où le cirque vient dans nos villes. Serait-il possible 5 que les chevaux de Barnum et Bailey vinssent de ce pays ?

— Cela se pourrait très bien, messieurs. Il 10 y a des marchands qui viennent ici de toutes les parties du monde. Nous n'avons pas de vieux chevaux en Nor-

Chevaux attelés en flèche.

15 mandie, parce que les marchands nous les achètent quand les animaux sont encore jeunes. Nous autres, nous les

Rosa Bonheur.

La Foire aux Chevaux.

achetons à un ou à deux ans, puis nous les dressons. Une fois qu'ils sont accoutumés à travailler, nous les vendons.

— Vous ne trouvez aucune difficulté à les vendre ?

20 — Aucune, messieurs. Il y a un marchand allemand

qui vient faire sa tournée une fois par an. Il est notre
client à tous, et nous paie un bon prix. Il revend ensuite
ses chevaux aux marchands étrangers.

— Combien vaudraient bien ces animaux-là !

— Je ne voudrais pas les vendre à présent. Ils au-5
raient une valeur de mille francs chacun ; je ne les ven-
drais pas à moins de deux mille francs.

— Je comprends maintenant d'où nous viennent les
beaux chevaux des cirques, dit mon ami. Les Américains
vous les achètent. Il n'y a rien de plus beau que de voir 10
une demi-douzaine de ces animaux, tous de la même couleur, attachés au même chariot.

— Peut-être verrez-vous mes chevaux en Amérique !

— Qui sait ? nous vous y verrons peut-être vous-même.

— Cela est impossible, messieurs. Je laisse les voy-15
ages à mes chevaux, moi, je reste en Normandie."

Hospitalité de soldat. I.

" Je voudrais un verre d'eau, me dit mon ami, j'ai soif !

— En ce cas, répondis-je, nous nous arrêterons à la
première maison. Nous demanderons de l'eau au paysan
et je suis sûr qu'il nous en donnera."
20

Au tournant du chemin nous vîmes une maison très
propre devant laquelle s'étendait un petit jardin où
s'alignaient des files de choux, de pois, de fraisiers. Un
sentier bordé de rosiers en fleurs conduisait à la porte.

" Voilà notre affaire, dis-je. Entrons.
25

— Entrez donc ! nous dit un vieillard qui avait entendu
mes paroles."

C'était un homme encore robuste qui portait allègrement ses soixante-dix ou soixante-quinze hivers. Si ses
cheveux étaient blancs comme la neige, par contre, ses 30
joues étaient rouges commes les roses de ses rosiers.

« Nous voudrions bien un verre d'eau, monsieur, nous avons soif.

— On vous le donnera avec plaisir. Entrez. Asseyez-vous ! »

5 Il nous apporta un verre d'eau, après nous avoir offert du cidre que nous ne buvions pas. Pendant que nous nous rafraîchissions, notre hôte vint se mettre à table près de nous et nous raconta son histoire.

Hospitalité de soldat. II.

« Vous êtes les bienvenus, messieurs les voyageurs ; moi
10 aussi, j'ai voyagé et j'étais content quand je rencontrais des gens qui me recevaient d'une façon cordiale.   En 1860 j'étais à Nancy, en 1865 j'étais en Prusse et en 1870 je me battais contre les Prussiens !

— Vous avez fait toute la campagne ?

15 — Oui, messieurs, et si vous le permettez, je me ferai un plaisir de vous montrer mon congé et ma croix d'honneur.»

Il se dirige vers une grande armoire et en rapporte une petite boîte bleue dans laquelle nous remarquons une croix
20 de bronze. Le ruban est fané. Le vieillard prend la croix et la tient délicatement entre ses mains de paysan :

« On ne m'a pas donné cette décoration pour rien, dit-il, et ses yeux brillent de fierté. Il fallait se battre pour en gagner une ! »

25 Nous regardons ce Français dont les années n'ont pu éteindre le courage et qui donnerait gaîment le reste de sa vie pour sa belle France ! L'amour de la patrie est une des grandes vertus nationales de ce pays.

Nous lisons son congé, document bref, où se raconte le
30 dévouement de notre hôte. Il avait sauvé la vie à son capitaine sur un champ de bataille.

"Je passe le soir de ma vie dans ce petit village, dit-il. J'ai une pension que le gouvernement me donne et qui me permet de vivre tranquillement. Voilà ma vache, mon jardin, mes pommiers et mes cerisiers. Je fais mon cidre, je récolte mes choux et mes pommes de 5 terre. Je vis heureux dans mon petit coin de Normandie. Parfois un voyageur passe, comme vous, messieurs, et je suis heureux de l'inviter à venir prendre un verre.

— Je suis sûr que les voyageurs aiment à s'arrêter 10 chez vous. Vous leur faites bon accueil.

— Il y a encore une chose que je souhaite : avant de mourir je voudrais revoir la vieille Alsace-Lorraine entre les mains des Français. Nous nous sommes trop battus pour elle, il faut qu'elle nous soit rendue." 15

Nous sortons ; nous nous trouvons près des arbres fruitiers, près de ses fraises. Il se remplit les mains de fruits délicieux et nous les offre avec un gracieux sourire.

"Permettez que je vous offre ces fruits, en signe de mon estime. J'ai en Amérique de vieux camarades qui 20 m'ont raconté comme votre pays est hospitalier. Vous avez bien reçu ces Français ; à mon tour, je me fais un plaisir de vous recevoir."

Nous acceptons les fruits avec plaisir. Une poignée de main, nous sommes de nouveau en route. 25

Lycéens.

Ils voyageaient en seconde classe. Ils étaient seuls avec nous dans le compartiment et ils se laissaient facilement approcher. Ils avaient l'air savant, ces trois jeunes garçons avec leurs gros livres sous le bras. Ils parlaient de livres et d'études. Evidemment c'étaient des élèves 30 qui allaient à l'école.

"Nous allons au Lycée de Rouen, nous dit le plus âgé. Nous sommes de la campagne et pour quelques centimes nous allons en ville et nous retournons chez nous le soir.

5　— Qu'est ce que vous étudiez, messieurs?

— Moi, dit-il, j'étudie le latin comme mon petit ami qui est assis à côté de moi. Ce jeune homme-ci étudie le commerce. Après avoir fini ses études à Rouen, il ira à Paris. Il y étudiera la géographie commerciale, le

10 commerce, la dactylographie. Ensuite il ira voyager dans les pays étrangers pour se familiariser avec leur

Le Palais de Justice, Rouen.

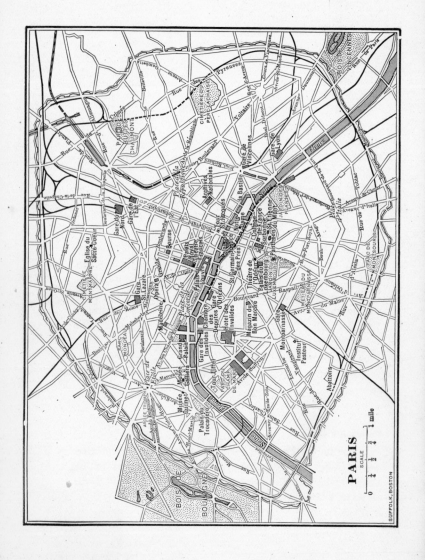

PARIS

SCALE

0 ¼ ½ ¾ 1 mile

SUFFOLK, K. BOSTON

commerce. Quant à moi, j'irai à l'université pour y étudier la médecine.

— Vous parlez bien l'anglais, monsieur.

— Je voudrais bien le parler à la perfection, mais votre langue est très difficile. Vous parlez vite, ensuite votre 5 alphabet est si différent du nôtre. Si vous parliez plus lentement !...

— Vous aimez la littérature anglaise ?

— Oui ! messieurs.

— Moi, dit le plus jeune, j'aime Fenimore Cooper. Je 10 voudrais aller aux Etats-Unis pour y chasser le bison avec les Indiens. Quel plaisir ce serait d'abattre ces gros animaux ! Le soir, on se repose de la chasse, on fait rôtir la viande fraîche et on boit l'eau d'une source claire.

— Hélas ! on ne chasse plus le bison dans les plaines, 15 on le voit seulement dans les jardins zoologiques."

Il nous regarde d'un air désappointé :

"En ce cas, dit-il, je doute que j'aille jamais aux Etats-Unis ! J'irai à la chasse au lion en Afrique.

— Si vous nous donnez la date de votre départ, dit 20 mon compagnon, et si vous le permettez, nous inviterons quelques-uns de nos jeunes garçons américains à vous accompagner. Il y en a beaucoup qui voudraient aller avec vous à la chasse au lion !"

Nous rions tous : le train s'arrête, nous sommes en 25 gare.

PARIS

Un peu d'histoire.

L'origine de Paris se perd dans la nuit des siècles. Jules César y envoya son lieutenant Labiénus en 52 avant Jésus-Christ. En parlant de cet événement, il dit au livre VII de ses Commentaires : 30

"Labiénus part pour Lutèce des Parisiens avec quatre
légions.   C'est la ville fortifiée des Parisiens située dans
une île de la Seine."

Constance Chlore vint s'y établir en 292 et y resta
5 jusqu'en 306.   Julien y fut proclamé empereur par ses
soldats en 360.   Clovis en fit sa capitale en 506 et
Charlemagne y fit plusieurs visites.

La ville fut assiégée en 865 par les Normands, mais
ceux-ci furent obligés de se retirer au bout de treize
10 mois.   Paris devint immédiatement le centre de la vie

L'Eglise de la Madeleine, Paris.

française.   Le courage de ses habitants et ses fortifica-
tions imprenables le rendirent célèbre.   Bientôt la population de la ville devint nombreuse.   Hugues Capet
voyant le développement de la ville, vint s'y établir
15 définitivement, ses successeurs y restèrent après lui.

C'est surtout sous Philippe-Auguste que le plus grand
développement se fit sentir.   Les vieux ponts de bois
qui reliaient la ville aux bords de la Seine furent remplacés par des ponts de pierre.   Le roi établit trois
20 collèges qui furent fréquentés par un nombre incroyable

d'étudiants. Parfois il s'y réunit 20,000 étudiants venus de tous les côtés du monde. Ces collèges furent le commencement de la grande Université de Paris. Robert de Sorbon, chapelain de Louis IX, ayant fondé au XIIIème siècle le collège de la Sorbonne pour l'enseignement de 5 la théologie, le nombre des étudiants augmenta encore et Paris devint la "Ville-Lumière" du monde civilisé.

Les maisons étaient modestes, les rues très étroites. Ce n'est qu'en 1700 que l'on commença à éclairer les rues. Il était dangereux de sortir le soir sans être ac- 10 compagné de gens armés. Malheur au pauvre citoyen qui s'attardait dans les rues après la tombée de la nuit !

Louis XIV voulant mettre fin aux assassinats et aux vols, ordonna que la ville fût éclairée. On mit de petites lanternes sur des poteaux dans les rues. Ces lanternes 15 contenaient des chandelles qui brûlaient pendant quelques heures, ensuite l'obscurité se faisait de nouveau.

Bientôt la ville s'étendit et sa population devint de plus en plus nombreuse. Les vieilles maisons furent abattues et les rues furent élargies. Louis XIV et 20 Napoléon Ier s'efforcèrent de rendre la ville de plus en plus belle. Ils y élevèrent des monuments superbes et créèrent des parcs et des jardins magnifiques. Ils encouragèrent la littérature, les arts, les sciences, le commerce et l'industrie. Aujourd'hui Paris est la première 25 ville de France, la plus belle ville du monde.

Un peu de statistique.

En 1896, il y avait à Paris 2,536,834 habitants. Seulement un tiers de ces deux millions et demi étaient nés à Paris. 170,000 personnes provenaient de pays étrangers. On y comptait 33,308 Belges, 26,799 Italiens, 25,831 30 Allemands, 11,285 Anglais, 8,520 Américains, etc. Si

l'on joint au recensement de la ville, la population des
environs immédiats de Paris, on trouve 3,350,000 habitants. Chaque année 27,000 Parisiens se marient, 75,000
enfants viennent au monde, 70,000 personnes meurent.

5 Pour nourrir tout ce monde, il faut une quantité énorme
de vivres. Les environs de Paris fournissent les légumes
en été et en automne, tandis que le sud de la France et
les colonies fournissent les primeurs en hiver et au
printemps. Tous ces produits se vendent aux Halles.
10 Imaginez dix pavillons vitrés séparés par des rues également vitrées. Les marchands de Paris viennent y vendre
tous les matins leurs produits aux enchères. Achète qui
veut.

La viande se vend près de l'abattoir de la Villette.
15 Les énormes quantités de cette viande sont examinées
par un inspecteur et un médecin vétérinaire avant d'être
mises en vente. Inutile de dire que l'abattoir est immense, il contient de la place pour 600 bœufs, 400 veaux,
22,000 moutons, 7,000 cochons. Il a une superficie de
20 111 acres.

Il faut à Paris de 150,000 à 270,000 mètres cubes d'eau
par jour. On peut à peine se faire une idée de cette quantité. Il faut cinq grandes rivières pour fournir cette
eau, qui heureusement est bonne et se trouve en quan-
25 tité suffisante.

La vie à Paris est très chère. Un revenu qui vous
permettrait de vivre à votre aise à la campagne vous
ferait mourir de faim en ville. C'est pourquoi les gens
de fortune moyenne préfèrent vivre dans les faubourgs.

Le mouvement des rues.

30 Nous voilà à Paris. Au sortir de la gare nous nous
apercevons immédiatement du grand mouvement des rues ;

les voitures, les automobiles, les charrettes passent en files
interminables. Le pauvre piéton qui veut traverser la
rue s'arrête dans l'espoir de voir passer bientôt le dernier

Écolières de Paris.

des véhicules. Ils viennent toujours et il semble que
tous les cochers du monde entier se soient donné rendez- 5
vous à Paris.

Il y a cependant une providence qui veille sur les
piétons, une providence en uniforme, visible et toujours
active. C'est le sergent de ville de Paris. Il est à la
fois l'expression de l'autorité et de la courtoisie françaises. 10
Job n'avait pas plus de patience. Chesterfield lui était
inférieur en belles manières.

En voilà un stationné au milieu d'une rue très fré-
quentée. Les voitures y vont et viennent par centaines.

Sur le trottoir, la foule des promeneurs s'accumule, les voitures leur barrent le passage.

L'agent lève la main : les cochers s'arrêtent comme par enchantement et les piétons traversent la rue.

5 "Tout juste comme à New-York à Broadway, dit mon ami.

— Ou comme à Londres, dis-je.

— Voilà une vieille dame qui peut à peine marcher. Il est poli, le brave homme, voyez comme il va lui offrir 10 le bras.

— Il est tout aussi poli que les agents de police de New-York. On ne s'attendrait pas à moins de la part d'un Français."

L'agent et sa vénérable compagne ont traversé la rue ; 15 il la salue poliment, tandis qu'elle lui fait une jolie révérence.

"Voilà encore une des belles qualités françaises, dit mon ami, le Français respecte la vieillesse.

— C'est peut-être un héritage qui leur vient des 20 Romains."

L'agent a repris sa place. Il donne un nouveau signal et la Mer Rouge de voitures qui s'était arrêtée un instant pour permettre aux piétons de passer, se précipite de nouveau dans la rue.

Les refuges.

25 "Moi qui suis de la campagne, dis-je à mon ami, je préfère ne pas voyager où il y a tant de monde.

— On s'y habitue, dit-il. Naturellement il y a un certain danger à traverser ces rues fréquentées et il faut tenir les oreilles et les yeux grands ouverts. Les Parisiens 30 s'en rendent compte et pour éviter les accidents, ils ont construit ces petites plates-formes au milieu de la rue.

— Véritables refuges pour les promeneurs qui viennent de la campagne.

— Voilà le nom qu'on leur donne, dit-il. Il y a tant d'automobiles, tant de voitures qui passent, un moment de distraction peut coûter la vie. Le piéton peut perdre 5 la tête ou un cocher peut s'oublier, le piéton n'a qu'à aller sur le refuge et le voilà en sûreté.

— L'idée est pratique !

— Regardez aussi les lanternes au milieu des plates-formes. Pendant la nuit on peut facilement les 10 trouver.

— Ce qui prouve que les Parisiens aiment l'utile autant que l'agréable. Il me semble que ce ne sont pas seule-ment les étrangers qui s'arrêtent sur les refuges, il y a autant de Français que d'autres.   15

— Ce qui prouve que personne n'aime à se faire écraser."

Le chapitre des chapeaux.   I.

Etant donné qu'il est impossible de porter des chapeaux en mer, nous n'en portions pas. Nous couvrions nos chefs de casquettes démocratiques dont la visière offrait 20 peu de résistance au vent. Notre Espagnol portait une casquette de soie bleue, Jean Calas en avait une de laine noire. Renault, notre garçon de cabine, en portait une dont nous avons oublié et la forme et la couleur. Les dames aussi se couvraient de ces couvre-chefs démocra- 25 tiques.

Seulement les casquettes, toutes utiles qu'elles sont en mer, ne vont nullement avec les chapeaux aristocra-tiques des boulevards de Paris.

"Pourquoi ces gens nous regardent-ils ? me dit mon 30 ami.

—Parce que nous ne portons pas de moustaches, peut-être!

— Non, ils regardent plus haut que le nez.

— Vous avez raison. Ils portent des chapeaux, nous 5 portons des casquettes. Or, dans cette ville libre on est esclave des coutumes.

— C'est vrai, dit-il, nous sommes à Paris où s'inventent les modes. A Paris, faisons comme à Paris, achetons des chapeaux."

Le chapitre des chapeaux. II.

10 Nous entrons dans un magasin où il y a un immense assortiment de chapeaux de paille, de feutre, de toile. Il y a des chapeaux noirs, des chapeaux blancs, des chapeaux rouges. Il y en a même qui sont verts. Une carte nous informe que l'anglais se parle dans l'établissement. 15 Dans la vitrine un drapeau anglais s'entrecroise avec un drapeau américain. Raison de plus pour entrer.

Un petit garçon d'une douzaine d'années se tenait près de la porte. Je ne remarquai ni ses yeux noirs, ni ses joues roses: on en voit de pareilles aux Etats-Unis. Ce 20 qui m'intéressait c'étaient ses cheveux en brosse, mais en brosse lisse, unie, un véritable chef-d'œuvre de coiffure.

Le petit garçon nous reçut très poliment et nous pria d'entrer.

" Entrez, messieurs, dit-il, je vous présenterai au patron, 25 c'est lui qui parle anglais.

— C'est étonnant quand même, me dit mon ami, comme ces Parisiens reconnaissent les étrangers. Aussitôt que ces gens nous voient ils commencent à parler anglais. Ils n'essayent jamais de parler allemand ou danois. Ils 30 ne se trompent pas et ils parlent anglais. Même ces petits garçons devinent notre nationalité."

L'Hôtel de Ville.

Le chasseur — c'est le nom que l'on donne aux petits employés des magasins et des hôtels — avait appelé son patron et celui-ci s'approcha en nous saluant poliment. C'était un homme aux manières distinguées ; on aurait dit un avocat ou un juge. Je pus remarquer aussi que sa 5 personne était bien soignée, ses cheveux étaient scrupuleusement brossés, ses habits à la dernière mode et sans la moindre tache.

Il parlait anglais comme s'il avait vécu toute sa vie à Londres : c'était un homme qui avait ou beaucoup voyagé 10 ou beaucoup étudié. Il nous pria de nous approcher et s'informa du but de notre visite.

« Nous désirons des chapeaux de paille, dit mon compagnon qui était heureux d'entendre ce commerçant qui parlait la langue de ses pères. 15

— Je serai heureux, reprit le Parisien, de vous en montrer ; ces messieurs veulent évidemment quelque chose de bon....

— Mais qui ne coûte pas trop cher."

Le chapitre des chapeaux. III.

« Voici d'abord, dit-il, des chapeaux à bon marché. Ils 20 ne coûtent que quatre francs. Cet article-ci, au contraire, est plus cher ; voici un chapeau que nous importons directement de l'Amérique du Sud. Comme vous voyez, il est fait d'une paille extrêmement fine. Vous pouvez le plier, le laver, comme s'il était fait de toile. Ce chapeau 25 se porte beaucoup en France....

— Et il coûte ? dit mon ami....

— 250 francs ! messieurs.

— Cinquante dollars américains ! Eh ! mon Dieu ! C'est trop, monsieur, pour nous autres, même en voyage. 30 J'avoue que c'est un chapeau remarquable, mais cinquante dollars pour un chapeau ! ... voulez-vous me montrer un article à dix ou à douze francs ?

— Mais certainement, messieurs, avec plaisir...."

Tout en nous montrant les chapeaux, il nous parle des
5 Etats-Unis, de notre président, de notre commerce, de nos institutions. Nous sommes frappés de l'intelligence de cet homme qui semble si bien se connaître aux affaires du Nouveau-Monde.

" Avez-vous jamais été en Amérique, monsieur ?
10 — Jamais, dit-il, mais j'espère aller voir votre beau pays. J'ai beaucoup lu les journaux de chez vous et comme tous les Français, j'aime à lire les livres américains. Je viens de finir *Evangeline*, j'ai lu souvent ce poème, je le relis et je le trouve de plus en plus beau."

15 Notre brave ami cause, tout en essayant les chapeaux.

" En voilà deux, dit-il, qui vous vont bien....

— Ils ne coûtent que dix francs, c'est un prix très raisonnable ; à New-York ils nous coûteraient au moins le double."

20 Nous payons, nous saluons le chapelier.

" Cet homme ne devrait pas vendre des chapeaux, me dit mon ami en sortant, il devrait enseigner la littérature dans quelque collège ou lycée. Un chapelier, grand Dieu ! qui nous parle de Longfellow, de Cooper, de tous
25 les écrivains de notre pays comme s'il avait vécu toute sa vie aux Etats-Unis !

— Ne dit-on pas que Paris est la ' ville-lumière ' ? "

Ce disant nous nous mêlons à la foule : nous portons des chapeaux comme tout le monde.

Les boulevards.

30 Les boulevards de Paris sont des rues très larges, plantées de quatre rangées d'arbres. Les maisons qui

bordent la rue sont des modèles d'architecture moderne
et présentent une certaine unité et une certaine variété.
Elles ne sont pas hautes comme les maisons des grandes
villes américaines et elles permettent au soleil de répandre partout l'or de ses rayons. Pendant la nuit, les 5
boulevards sont éclairés par mille lumières électriques
dont la clarté fait penser au jour.

Cependant ce ne sont ni les arbres, ni les maisons qui
donnent aux boulevards leur cachet tout à fait parisien.
On peut voir à Chicago des rues tout aussi belles que les 10
boulevards de Paris, mais un détail leur manque : le
Parisien et son café.

Figurez-vous des deux côtés du boulevard, des trottoirs
de vingt à vingt-cinq pieds de large. La moitié en est
réservée aux piétons, l'autre moitié aux propriétaires de 15
cafés et de restaurants. Ceux-ci disposent sur les
trottoirs une quantité de petites tables et de chaises.
C'est ici que viennent prendre place les Parisiens et
même les étrangers qui désirent un verre de vin ou une
tasse de café. Le soir, toutes ces tables sont prises, il 20
faut parfois attendre longtemps avant de trouver une
chaise qui ne soit pas occupée.

De ce poste avantageux, le Parisien assis regarde le
Parisien qui passe à pied et qui se promène le long
des cafés. La file de ces promeneurs est interminable ! 25
On dirait que toute la ville se donne rendez-vous sur
ces boulevards. Les riches en costumes élégants, les
pauvres en habits modestes — tous y passent. Ils viennent
et ils continuent à venir dès la tombée de la nuit jusqu'à
une heure avancée. On dirait un défilé comme celui des 30
gens de New-York ou de Chicago à l'heure du dîner ou
du souper. Seulement le défilé ne s'interrompt pas, il
continue pendant des heures.

Pour venir à cette promenade, les femmes de Paris
s'habillent de leur mieux : un peintre ou un sculpteur
pourrait trouver sur les boulevards des modèles sans
nombre, tant les Parisiennes sont élégantes. Parfois il
5 y a une ombre au tableau : une mendiante, le bébé
dans les bras, vient se glisser dans la foule des promeneurs et des gens assis et demande une aumône. Le
Parisien, qui a le cœur généreux, lui refuse rarement une
pièce de monnaie.

10   Nous voyons passer ces gens qui rient, qui causent
et qui s'amusent.

« Allons nous promener comme ces gens-là, dit mon
compagnon, nous ferons la revue des gens qui sont assis.

— Ils nous regarderont....

15   — Nous les regarderons aussi ! En tout cas, ils verront
dans nos yeux que nous sommes contents d'être dans
cette belle ville, dans ce beau pays ! »

Tramways parisiens. I.

Les tramways français diffèrent des tramways américains : chez nous les riches et les pauvres voyagent dans
20 la même classe, en France il y a une première pour les
riches, une seconde pour les gens qui ne sont pas riches.

J'avais dit à mon ami que le trajet d'un côté de la
Seine à l'autre nous coûterait trois sous. Il tenait donc
la monnaie dans sa main, prêt à la donner au conducteur.
25 Celui-ci lui demanda un sou supplémentaire.

« Comment cela se fait-il ? dit mon ami au conducteur,
que vous me demandiez quatre sous, au lieu de trois ?

— Vous êtes en première, monsieur.

— En première ?

30   — Mais oui, si vous vous étiez arrêté en entrant et si
vous vous étiez assis sur un banc avec ces ouvriers, vous

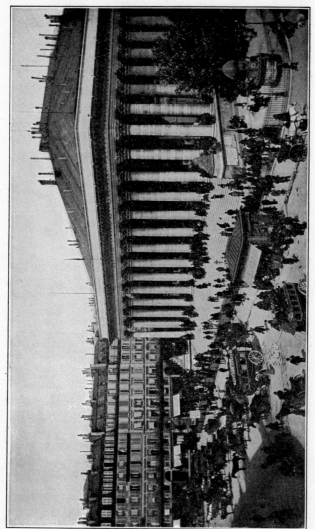

La Bourse, Paris

n'auriez dû payer que trois sous. Comme vous êtes venu
vous asseoir sur ces coussins, vous êtes en première et

Tramway, Rouen.

vous devez payer un sou
de plus.

— Alors la distinction 5
n'est pas sociale, reprit
mon ami, elle est basée
sur l'état financier de la
bourse du voyageur. Si
un pauvre voulait donner 10
un sou de plus, il pour-
rait venir s'asseoir ici
tout aussi bien que le
plus riche ?

— En effet ! seulement 15
les gens du peuple aiment
à économiser leur argent et ils préfèrent voyager avec leurs
semblables. Les gens de la classe moyenne préfèrent
payer un peu plus et se trouver aussi ensemble.

— Et les gens qui se tiennent debout, forment-ils une 20
troisième classe ?

— Nullement, il n'y en a que deux, monsieur."

Tramways parisiens. II.

Nous étions à peine descendus de la voiture, que mon
compagnon s'arrêta soudainement et s'écria :

"Eh ! ma foi ! Regardez-moi cela !   25

— Quoi ?

— Regardez là ! Cette voiture à deux étages ! Ils sont
drôles ces tramways parisiens. Qui a jamais rien vu de
pareil ?

— Allons voir la voiture de près."   30

En effet nous vîmes une voiture à deux étages. C'était

l'étage supérieur qui nous intéressait le plus.   Il fallait y
monter par un petit escalier tournant.   Arrivé au haut de
cet escalier, le voyageur se trouvait dans un compartiment dont le toit était très bas.   Un homme de taille
5 moyenne n'aurait pu s'y tenir debout, il aurait donné de
la tête contre ce toit.

" Nous sommes maintenant dans la partie qui se nomme
' l'impériale.'

— Impossible ! Les bancs, le toit, tout est noirci par la
10 fumée ou par la poussière !

— Cependant cela s'appelle ' l'impériale,' lui dis-je.

— En ce cas, dit-il, cela me fait penser aux ' cochons
d'Inde.'

— Comment cela ?

15   — Mon cher ami, vous avez sans doute remarqué ces
animaux qui appartiennent à la famille des rats.   Ce ne
sont pas des cochons, ensuite ils ne proviennent pas de
l'Inde.

— C'est pour cela qu'on les nomme ' cochons d'Inde ' ?

20   — Tout juste pour cela, dit-il.   C'est pour la même raison qu'on nomme cet étage supérieur ' impériale ' parce
qu'un empereur n'y est jamais monté."   Ce disant, il tira
sa pipe de sa poche, la bourra de bon tabac de Virginie et
commença à donner une couche supplémentaire de fumée
25 à notre " impériale " déjà si noire.

Notre-Dame.

Chapeau bas ! nous sommes dans une des plus belles
églises du monde, dans un des plus beaux monuments de
l'univers.   Notre-Dame de Paris est à la fois l'expression
de la profonde piété du moyen âge et de l'architecture
30 sublime de cette époque.   Les Parisiens de ces temps
éloignés ont laissé à leurs fils un héritage superbe.

Notre-Dame de Paris.

Qui donc avait appris aux architectes du moyen âge à proportionner si élégamment ces églises de France ? Qui a donné à tant de cathédrales leur grandeur et leur majesté ? Les artistes ont disparu mais leurs œuvres demeurent et les touristes venus des quatre coins du monde, s'étonnent 5 et admirent. Il semble impossible que des hommes aient taillé ces colonnes qui s'élancent vers le ciel en gerbes si gracieuses ! Les voûtes sont suspendues à des hauteurs incroyables et ces voûtes ne vous écrasent pas. Elles sont légères comme des nuages, des nuages gris qui sont 10 venus se poser sur les colonnes !

Un magicien s'est arrêté dans la vaste église, il a touché les fenêtres de sa baguette magique, il a rempli les vitraux d'une infinité de couleurs, et la lumière qui tombe par ces vitres sur les dalles de l'église est douce et variée 15 comme celle de l'arc-en-ciel.

Nous comprenons maintenant pourquoi tous les touristes qui visitent Paris vont un moment s'arrêter à Notre-Dame. Ils aiment à voir le beau, et le beau se trouve surtout dans les grandes cathédrales françaises. Un jour, 20

Victor Hugo voulut reproduire en paroles la magnificence de cette vieille église, il aimait sa cathédrale et il était maître de la langue française, pourtant il trouva sa plume faible pour sa tâche !

5 Mais si Notre-Dame a sa beauté, elle a aussi son histoire ! Regardez le maître-autel. Henri IV vint s'agenouiller dans ce sanctuaire, il y assista à " la messe qui lui valut Paris." Napoléon s'y couronna empereur et y plaça le diadème sur la tête de Joséphine. Le pape lui-même, 10 venu de Rome, fut présent à la cérémonie. C'est sous ces voûtes antiques que le grand Lavigerie prêcha sa croisade moderne contre l'esclavage africain.

Notre-Dame résume l'histoire de Paris, l'histoire de la France. Elle a vu passer ses rois et ses mendiants, ses 15 grands et ses petits. Elle a entendu leurs cris de joie et leurs cris de détresse, elle a vu leurs larmes, elle a entendu leurs prières.

Les ennemis de la France ont toujours respecté la vieille cathédrale : sa beauté lui a valu son immunité. La 20 belle église sera encore sur les bords de la Seine quand nous aurons passé dans la nuit des années. Dans trois ou quatre siècles, d'autres voyageurs viendront des quatre coins du monde pour admirer sa splendeur et se raconter son histoire.

Les tours de Notre-Dame.

" Allons voir Paris du haut de Notre-Dame, me dit mon 25 ami, le temps est beau et la vue sera superbe.

— Bon ! Nous trouverons l'entrée du côté gauche de l'église."

Nous trouvâmes à la porte d'entrée de l'église une femme habillée de noir ; elle nous demanda un pourboire. 30 Il n'y avait pas de prix fixe pour entrer. Bientôt nous fûmes sur les marches de granit.

Le Panthéon, Paris

Aux grands hommes la patrie reconnaissante

"Voyez comme elles sont usées, me dit mon compagnon.
On a dû les réparer avec du ciment et ce ciment commence
à s'user à son tour.

— Et regardez-moi tous ces noms! lui répondis-je. Il
y en a des milliers. J'en vois qui datent d'il y a cin- 5
quante ans....

— Bien du monde passe par ici. Mais pourquoi tous
ces Français, tous ces Espagnols, ces Italiens, ces Allemands désirent-ils écrire leurs noms sur ces murs? Impossible de les lire tous! puis, qui sont ces gens? Ils 10
sont venus, ils ont écrit leurs noms, ils ont disparu....

— C'est comme les amoureux qui vont tailler leurs
noms dans l'écorce des hêtres. On lit ces noms et on
passe outre, mais cela fait plaisir à tous ces gens de voir
leur nom sur un mur, un arbre.... 15

— Permettez que j'observe le silence, me dit mon ami
à ce point, j'ai besoin de toute mon haleine pour monter
cet escalier qui n'en finit pas...."

Après quelques minutes je m'arrêtai: "Croyez-vous, lui
dis-je, que nous arrivions jamais au sommet de cette 20
tour?

— Il faut avouer que c'est haut, quand même.... Et
nous voilà arrivés à un endroit où il n'y a pas de
fenêtres....

— Il fait si noir que je ne puis pas voir ma main. Ce- 25
pendant nous pouvons marcher à tâtons."

Nous fîmes encore quelques pas et l'obscurité devint
de plus en plus profonde. Tout à coup nous nous trouvâmes devant une porte, nous frappâmes; la porte s'ouvrit
et soudainement nous passâmes des ténèbres à la lumière: 30
Paris était à nos pieds!

Nous ne parlâmes pas: instinctivement, nous nous
assîmes en silence sur les grosses pierres du toit. Chacun

de nous voulait jouir tranquillement de la beauté de la
ville....

A ce moment deux jeunes filles vinrent se promener
au sommet de la tour. Elles étaient Parisiennes, leur
5 accent pur, leurs manières élégantes trahissaient leur lieu
de naissance. Timides d'abord et extrêmement réservées,
elles se permirent un mouvement d'intérêt et de curiosité
quand elles nous entendirent parler anglais. Nous avions
rompu notre silence et notre méditation. Les jeunes
10 filles comprirent que nous étions étrangers et elles se
firent les gracieuses interprètes des beautés de leur ville.

"Voilà les Champs-Elysées, le Panthéon, le Dôme des
Invalides ! Voilà les grands boulevards, à nos pieds la
Seine !"

15   Elles étaient fières de leur Paris et elles aimaient à nous
en indiquer les monuments.

"Elles ont raison d'être fières, dit mon compagnon de
voyage. On ne voit pas tous les jours un panorama si
beau. Il n'y a qu'un Paris au monde !"

20   Un mot de remerciement, un "bon voyage" et les deux
jeunes demoiselles disparurent.

Les chimères.

Nous étions à peine seuls que mon ami s'écria, fort
étonné :

"A quoi servent donc ces grands diables, que je vois
25 partout sur cette église ? Regardez, il y en a partout !—
Et il me montra les fameuses chimères de Notre-Dame.

—Pour vous dire la vérité, répondis-je, je ne comprends
pas plus que vous pourquoi on a mis ces monstres sur
cette église.

30   —Je comprends, continua-t-il, pourquoi on a sculpté
des statues qui représentent la beauté, la prière, la

méditation, le sacrifice et les autres vertus, mais je ne
vois nullement pourquoi on a placé des diables sur une

Chimère de Notre-Dame.

église.... Regardez-moi
cette statue-là, elle a une
tête de diable, un corps 5
d'animal, voilà un autre
monstre qui ressemble à
un chien rongeant un os.
Un troisième a une tête
d'éléphant, un quatrième 10
une tête d'oiseau....

—Si je ne puis vous
donner une raison qui
vous explique la pré-
sence de ces chimères sur 15
ces toits, je sens néan-
moins que ces monstres
ont droit à une place sur
la cathédrale. Ils ne
choquent pas ma vue, au 20

contraire ils semblent s'accorder parfaitement avec ce
bâtiment et leur absence me semblerait une perte....

—Demandons à la gardienne de la tour ce qu'elle en
pense."

La brave femme, dont la science avait ses bornes, nous 25
répondit :

"Ces chimères y ont toujours été ! Elles y étaient
quand j'étais toute petite, elles y sont maintenant. Il
est vrai qu'il y en a quelques-unes qui sont tombées, elles
étaient déjà vieilles. On les a remplacées par de belles 30
chimères, toutes neuves....

—Nous n'en doutons guère, madame, mais à quoi
servent-elles ?

—Cela, je ne saurais vous le dire! Cependant, moi je
les trouve très belles! Regardez-moi ce grand diable, qui
tient sa tête entre les mains et qui regarde toujours la
ville. Il est beau et je l'ai connu toute ma vie. Parfois
5 les touristes ne viennent pas et je me trouve bien seule
sur cette tour. Alors il me tient compagnie et nous
regardons la ville ensemble. Je ne saurais me passer
de lui!

—Chacun a ses goûts, madame, dit mon ami en
10 s'éloignant.

—C'est ce que dit la femme, répondis-je, quand elle
embrassa sa vache!"

Le gros bourdon.

Une autre dame s'approchant de nous, dit:

"Ne voulez-vous pas aller voir le gros bourdon?

15 —Certainement, madame, montrez-nous tout ce qu'il y
a à voir dans cette cathédrale! dit mon ami.

—Le bourdon est une des plus grandes cloches du
monde et il vous faut absolument le voir. Entrez donc
par cette petite porte, courbez la tête, messieurs, vous êtes
20 grands! gare à vos têtes et nous y voilà!

—C'est donc là le grand bourdon, dis-je à mon compagnon de voyage, dont parle Victor Hugo dans *Notre-
Dame*. C'est la grande cloche qui proclame la joie de
Paris aux jours de fête, qui pleure avec ce peuple aux
25 jours de deuil! Cette voix doit être formidable quand
elle appelle le peuple aux armes!"

La brave gardienne interrompit mes réflexions: "Venez,
dit-elle, messieurs, je m'en vais vous donner 'l'explication'!

30 —'L'explication,' dit mon ami, il n'y en a donc qu'une!
Il nous faut l'écouter!"

Quelques autres touristes étaient venus se joindre à
nous. La brave femme monta sur une petite plate-forme
à côté du bourdon. Une longue association avec cette
cloche ronde, immense, lui avait donné une forme semblable. Nous sommes influencés par le milieu où nous 5
vivons !

"Ce bourdon, messieurs et mesdames, est immense, il
pèse quinze mille kilos, ou trente-trois mille livres ! Il
faut huit hommes pour le sonner, on ne le sonne donc
qu'aux jours de fête. Approchez-vous et mettez-vous 10
sous le bourdon, il n'y a aucun danger.

— Il est vrai qu'elle n'a pas encore été écrasée, dit mon
ami. Regardez donc comme elle a du sang-froid ! Ayons
autant de courage que la dame volumineuse, et mettons-
nous sous la cloche !" 15

Notre exemple attira les autres touristes sous le grand
dôme de cuivre.

"Si cette cloche venait à tomber, dit un vieux bourgeois allemand, à mes côtés, nous serions tués comme des
mouches ! 20

— Je ne reste pas sous ce bourdon ! dit sa femme.

— Voyons, Gretchen, dit-il, sois raisonnable. Ce n'est
pas tous les jours qu'on se met sous une grande cloche
comme celle-ci....

— Donc, continua la gardienne, la cloche pèse 33,000 25
livres et le battant en pèse 1650. Regardez la circonférence du bourdon et vous remarquerez deux endroits
qui luisent comme de l'or. Ce sont les deux endroits où
le battant frappe le bourdon depuis 1686. Même le
bronze, messieurs et mesdames, ne peut échapper aux 30
siècles et à l'usure."

Elle frappa avec une barre de fer le bourdon qui vibra
et nous envoya une vague de sons retentissants.

"Quelle cataracte de sons doit tomber sur la ville quand on sonne la cloche à grande volée!

— Je ne voudrais pas rester dans la tour à ce moment-là!" dit la bonne Allemande qui nous avait entendus.

5 Nous étions dans la rue. mon ami avait l'air rêveur.

"Vous songez? lui dis-je.

— En effet, dit-il, je pense à tous ces grands artistes du moyen âge, à tous ces génies qui ont créé ces beaux monuments. Voyez comme c'est beau, comme c'est 10 solide!

— Et dire que peut-être un jour, un incendie ou un canon viendront détruire toute cette beauté!

— Ce serait une catastrophe ou un crime!"

Les chèvres et la flûte.

Nous nous reposions dans notre chambre, des fatigues 15 de Paris. On se fatigue terriblement dans cette ville immense. Mon ami dormait paisiblement et moi j'étais tranquillement assis à une petite table. Comme le brave Perrichon, j'écrivais mes "impressions de voyage."

20 Tout à coup j'entendis le son d'une flûte. Je crus que c'était une hallucination, mais la flûte se fit de nouveau entendre. Je ne pus m'y tromper! J'entendis distincte-ment, clairement, indubitablement, dans les rues de Paris, les sons d'une flûte. Ce son se distinguait du bruit des 25 voitures par sa pureté, par son contraste. Qui était donc ce Pan moderne, qui venait dans cette grande ville, nous faire cette sérénade bucolique? J'ouvris ma fenêtre et je regardai.

Un homme s'approcha. Il portait une grande blouse 30 noire qui lui tombait jusqu'aux genoux. C'était l'homme à la flûte! Il était précédé de huit ou dix chèvres, belles

Le Trocadéro, Paris.

bêtes aux poils longs et soyeux. Elles étaient tout aussi
jolies que la chèvre de M. Seguin et infiniment plus sages.
Elles se garaient des voitures et des automobiles, elles
marchaient comme une armée de soldats. Une grosse
chèvre plus belle que toutes les autres, semblait diriger 5
la marche. C'était un animal magnifique dont la sagesse
lui avait valu cette place d'honneur.

Et notre Pan en blouse noire jouait toujours de la flûte !
Je compris bientôt la raison de cette sérénade extraordinaire. Une jeune chèvre s'était attardée un peu, 10
tandis que ses compagnes continuaient leur promenade.
Elle fourrait son nez et sa barbe dans les feuilles d'un
chou, qui par hasard était tombé sur le trottoir. Il faut
avouer que les feuilles d'un chou ne sont pas une tentation ordinaire, même pour une chèvre parisienne. Les 15
aristocrates de la race capricieuse peuvent s'oublier à
manger un chou démocratique ! C'était évidemment
contraire aux convenances, au savoir-vivre des chèvres de
Paris ! Soudain la flûte retentit. Elle comprit immédiatement la faute qu'elle avait commise. Son maître, 20
au lieu de lui donner un ordre brusque de se retirer,
ordre qui aurait pu offenser sa délicatesse de chèvre
parisienne, lui joua une petite mélodie. C'était comme
s'il lui eût dit : "Mon petit amour de chèvre, rappelle-
toi que tu n'es pas une chèvre ordinaire, tu es de Paris ! 25
Ne va donc pas manger des restes de choux ; c'est
vulgaire ! cela ne convient nullement à une belle petite
chèvre bien élevée.

L'animal laissa le chou et se remit en marche avec ses
compagnes. Immédiatement le maître joua une seconde 30
mélodie : Ma petite amie, je suis content de toi. Je
te pardonne un mouvement un peu naturel, je suis content de ce qu'il ait suffi d'un seul mot de ma flûte pour

te rappeler ta dignité de Parisienne. A ton retour, si tu
veux des choux, tu en auras autant que tu voudras."

Mon ami s'étant réveillé, vint près de moi à la fenêtre.
La flûte retentit de nouveau. Le troupeau s'arrêta de-
5 vant une porte, un seul animal s'avança, les autres se
couchèrent sur le trottoir. La porte s'ouvrit et une jeune
servante tendit au maître des chèvres un "litre" qui
brillait au soleil, tant il était propre. L'homme appela
la chèvre et se mit à la traire dans la mesure étince-
10 lante.

La servante causa pendant quelques minutes avec
l'homme; celui-ci continua à traire, mais la cérémonie
fut courte. La porte se referma, la servante disparut,
les chèvres se relevèrent et la flûte recommença sa
15 chanson joyeuse!

Le Louvre. I.

Le Louvre est le plus important des édifices de Paris;
il est célèbre par son architecture et par les précieuses
collections qu'il contient. Il fut commencé par Philippe-
Auguste, roi de France au XIIIe siècle. Charles V y
20 transféra son trésor et sa bibliothèque; il en fit sa résidence royale.

François Ier et Louis XIV continuèrent les travaux
commencés par leurs prédécesseurs et Napoléon Ier y
dépensa plus de 36,000,000 de francs.

25 Tous ces bâtiments forment le palais le plus vaste et le
plus splendide du monde. Ils couvrent une superficie de
198,000 mètres carrés, c'est à dire le triple de celle du
Vatican et de l'église de Saint-Pierre.

Les rois de France ont disparu du Louvre, ils ont fait
30 place aux rois de l'art, aux grands génies de la race humaine. Toutes les civilisations antiques et modernes y

sont représentées par quelque chef-d'œuvre : la Babylonie, la Chine, Rome, l'Inde, la Grèce, enfin toutes les nations du monde.

Voici un lion ailé, qui date du quinzième siècle avant Jésus-Christ, mais un lion superbe, immense ! Le sculp- 5 teur a inscrit sur la base du monument des lettres étranges. Un jour des soldats français ont trouvé ce lion, ils l'ont apporté au Louvre où des savants ont étudié et traduit l'inscription.

Plus loin, un sarcophage romain porte des lettres 10 latines. La personne qui fut ensevelie dans ce monument appartenait à la haute société romaine. L'inscription nous rappelle ses titres, son nom, sa famille.

Une statue de bronze interprète la beauté et la grâce de la femme antique. Un gladiateur mourant se penche 15 sur son glaive brisé, à côté de lui un athlète lance un disque de bronze.

Sur un des escaliers d'honneur nous apercevons la Victoire de Samothrace. Une jeune fille, une déesse se tient debout sur la proue d'une trirème. Ses vêtements 20 s'agitent au vent, elle semble voler, tant elle est légère. Elle va annoncer aux Grecs la victoire de leurs compatriotes. Qui donc a pu tailler dans la pierre cette statue si noble, si parfaite ?

Les statues sont innombrables ; passons à la galerie 25 des tableaux. Il y a tant à voir ici qu'on ne peut que jeter un coup d'œil.... Nous sommes en présence des grands maîtres de la peinture. Nous commençons par les artistes du moyen âge, artistes dont la foi sincère inspira leurs chefs-d'œuvre. Voici Fra Angelico dont 30 les madones et les anges semblent à peine de ce monde. En les regardant, on oublie que ce sont des hommes, on ne voit que leurs pensées, leurs âmes.

"Fra Angelico travaillait en priant," dit un des guides qui s'était approché.

Plus loin, nous nous trouvons en présence de Léonard da Vinci. Celui-ci était maître de la couleur et du dessin
5 et ses modèles sont reproduits avec une délicatesse et une perfection incroyables. Mais nous oublions un peu les chefs-d'œuvre de ce maître pour nous attarder devant la *Mona Lisa*. Nous ne sommes pas les seuls curieux ! Un groupe de touristes a déjà pris place devant le ta-
10 bleau et regarde la Joconde. Ils ne voient pas l'art du maître, ils discutent la disparition du tableau.

"Il fut enlevé du Louvre en 1911, dit un interprète, par un Italien. Celui-ci réussit à le rapporter en Italie où il fut retrouvé par la police italienne. Le gouverne-
15 ment de ce pays le renvoya à la France. L'Italien fut mis en prison. C'est ainsi que Mona Lisa fit une prome-nade et revint, à la grande joie de tous les artistes de Paris et du monde entier."

Le Louvre. II.

"Ces gens-là nous rendent un service, mais un grand
20 service ! dit mon ami, et il me montra plusieurs étudiants qui tâchaient de copier *L'Immaculée Conception*, de Murillo. Vous voyez l'imperfection de leur œuvre, con-tinua-t-il et cette imperfection fait ressortir la beauté de l'original. Evidemment, Murillo était un grand artiste.
25 — Ils ne peuvent pas reproduire cette figure délicate, ces yeux pleins d'extase. Leurs anges n'ont ni la beauté ni la perfection des anges du maître. Il manque au travail de ces étudiants quelque chose que je ne saurais définir....
— Ce sont des hommes d'un talent ordinaire, dit-il.
30 Murillo était un génie.... Mais voici l'école flamande : que pensez-vous de Rubens et de Van Dyck ?

L'Arc de Triomphe de l'Étoile, Paris.

— J'admire la force du premier, la délicatesse du second. Rubens aimait les couleurs vives, Van Dyck préférait la grâce du dessin. C'étaient deux maîtres.

— Et les Hollandais ! Tout aussi intéressants que les Flamands. Regardez ces chefs-d'œuvre de Frans Hals 5 et de Van Ostade.

— Les Français ont rendu service au monde entier en établissant ce musée immense. Les grands génies de l'humanité y ont droit d'entrée. Le Louvre est un monument dédié ni à la richesse, ni à la faveur, ni à la 10 naissance, c'est un monument dédié à la pensée, au génie ! "

Nous causions en nous promenant.

"Voici un tableau que j'ai vu souvent reproduit en Amérique, dit mon compagnon. Il s'arrêta devant un 15 petit chef-d'œuvre dont la simplicité a touché le cœur de tant d'hommes, *L'Angelus*, de Millet.

— C'est une œuvre remarquable, lui répondis-je. Je ne saurais vous dire en quoi consiste sa beauté, mais cet Angelus me donne envie de penser, de songer. 20

— Et parfois de prier, ajouta-t-il. . . ."

Nous nous arrêtâmes un moment devant les fêtes galantes de Watteau. Ses dames avaient des manières admirables, ses hommes en soie et en dentelles leur faisaient des compagnons charmants, les jardins où ils 25 s'étaient assemblés faisaient de jolis cadres à ces fêtes champêtres. . . .

Plus loin, nous nous trouvâmes sur des champs de bataille avec Meissonier et nous vîmes passer Napoléon après la défaite de Waterloo. L'empereur était assis sur 30 un cheval blanc. Il avait les yeux fixés sur l'horizon.

Et ainsi nous nous promenâmes de salle en salle jusqu'à ce que la fatigue nous obligeât de sortir.

"Combien de temps faudrait-il pour voir tout ce Louvre? demandai-je à mon ami.

— Un homme qui y passerait toute sa vie, n'aurait que commencé à le voir."

Le ballon dirigeable.

5 Nous sortions du Louvre quand tout à coup nous vîmes la foule de touristes s'arrêter et regarder en l'air.

"Qu'est-ce que c'est que cela? dit mon ami.

— Regardez là-bas dis-je, ne voyez-vous pas ce ballon immense?

10 — Il a la forme d'un grand cigare jaune. Puis il marche contre le vent, évidemment c'est un dirigeable.

— Voyez comme il est beau, il me semble tout d'or. Le soleil l'a doré tout entier. Puis l'hélice jette des éclairs du haut de ce ciel bleu.

15 — Je vois aussi un drapeau, continua-t-il. C'est un drapeau français, je puis distinguer parfaitement le bleu, le blanc et le rouge. C'est le premier ballon dirigeable que j'aie vu de ma vie, il faut avouer que ce spectacle est magnifique. Je voudrais être là-haut avec le pilote du
20 navire de l'air, l'air semble si pur, si calme."

A ce moment toute la foule enchantée du vol du ballon, applaudit. Je ne sais si le pilote nous entendit là-haut.

"S'il ne nous entend pas, dit mon ami, je dois quand même admirer cette manifestation patriotique des Pari-
25 siens. Ils aiment ce ballon parce qu'il est beau, ensuite ils l'aiment parce qu'il porte le drapeau français.

— Puis il marche bien, dis-je. Les Français ont le culte du beau et de l'utile. Il faut cependant que l'utile soit toujours beau!

30 — Et ils ont le culte de la patrie...."

Le ballon dirigeable avait traversé la ville et il poursuivait son voyage rapide. Il allait vite et après quelques minutes, il disparut à l'horizon.

La foule se dispersa, la cour du Louvre fut déserte. Il ne resta qu'un moineau qui cherchait, çà et là, des miettes de pain que les touristes lui avaient jetées....5 Nous continuâmes notre promenade en causant, nous jetâmes un dernier regard sur l'horizon, le ballon dirigeable avait disparu.

En bateau sur la Seine.

" Jules César a vu la Seine, dit mon joyeux compagnon, nous ferons mieux que cela, nous allons nous y promener 10 en bateau à vapeur."

Je ne pus m'empêcher de rire.

" La Seine a bien changé, continua-t-il, depuis la visite du général romain. Le Parisien est venu s'établir sur les bords du fleuve et cet Athénien moderne ne pou-15 vait toucher sa rivière sans l'embellir."

Nous allâmes nous asseoir sur le pont d'un bateau-mouche. Un employé s'approcha de nous et nous demanda où nous voulions aller.

" Aussi loin que nous pouvons aller ! 20

—Quinze centimes, messieurs, dit-il. Il prit notre argent et nous donna en échange un gros jeton de cuivre. Vous donnerez ce jeton à l'employé, dit-il, quand vous descendrez. Ce jeton vous servira de reçu.

—Il faut avouer que c'est un gros morceau ! dit mon 25 ami. Enfin ! il y aura moins de danger de le perdre.... Contemplons le paysage ! ..."

La Seine n'est pas très large, c'est un fleuve très modeste en temps ordinaire, mais qui, aux jours d'orage, prend des proportions formidables et inonde la ville. 30 Aujourd'hui, les eaux sont calmes. Les deux rives de

béton suffisent à retenir le fleuve dans son lit paisible.
Partout il y a des herbes en tapis verts, des chênes et
des saules qui viennent pencher leurs cimes sur les eaux.
Des roses, des lis, des hyacinthes se mêlent au vert des
5 arbres.   Nous jouissons de ce beau spectacle comme des
gens qui n'ont jamais rien vu....

"Mais voyez donc ces ponts, s'écria mon compagnon ;
qui aurait jamais pu croire qu'un pont pût être beau en
même temps qu'utile !

10   — Les Parisiens et les Français en général ! Ils ont
appris cela des Grecs et des Romains.   Ceux-ci aimaient
à tout embellir.

— Ces ponts sont élégants, puis ils sont ornés de
statues.   Voilà des symboles de la Patrie, de la Justice,
15 de la Charité, du Courage.   Ces ponts vulgaires sont
devenus des monuments où, à la solidité, est venue
s'ajouter l'élégance.

— Pourquoi n'avons-nous pas de ponts pareils chez
nous ? Il me semble qu'une chose utile ne doit pas
20 nécessairement être laide.   Voici la Seine, elle sert au
commerce et à l'industrie comme tous les autres fleuves
du monde et cependant elle n'a pas perdu sa beauté.
Au contraire, l'art de l'homme est venu embellir l'œuvre
de la nature et ces deux forces créatrices ont produit un
25 des plus beaux paysages du monde.

— N'étaient-ce pas les Romains qui disaient que la
victoire était à celui qui savait mêler l'utile et l'agréable ?

— Oui, et ces Romains étaient les maîtres des Français :
ceux-ci étaient de bons écoliers !"

Les pêcheurs de la Seine.

30   Nous parlions encore des Romains, quand mon ami me
fit regarder le long de la Seine.   Nous remarquâmes un

La Tour Eiffel, Paris

grand nombre d'individus qui s'étaient approchés de l'eau. Quelques-uns étaient debout, d'autres étaient assis. Cependant tous tenaient à la main des engins de pêche, et de temps en temps, ils retiraient lentement ces objets de l'eau du fleuve. Evidemment c'étaient des pêcheurs 5 à la ligne, mais qu'est-ce qu'ils attrapaient dans le fleuve de la grande capitale? Nous ne vîmes pas briller le moindre fretin.

"Ces gens-là doivent avoir une patience, mais une patience sans bornes! dis-je à un Français qui était 10 assis près de moi.

— Mon cher monsieur, répondit-il, leur patience dépasse toutes les limites humaines. En comparaison des pêcheurs de la Seine, Job était un impatient! Regardez, ils se tiennent là-bas pendant des journées 15 entières sans prendre le moindre petit poisson."

N'allez pas croire qu'ils ne servent à rien : ils forment une galerie admirable de statues vivantes, ils donnent au paysage un air tout à fait particulier. De temps en temps, ils repêchent leurs lignes, et leurs mouvements 20 paisibles et lents sont en plein accord avec le calme presque rustique du paysage. Si ces pêcheurs n'étaient pas là, les Parisiens mettraient assurément des statues le long du fleuve. Les pêcheurs coûtent moins quoiqu'ils ne soient pas si élégants que des statues. 25

"Et ils ne prennent jamais de poissons?

— Des poissons, ma foi! Des pêcheurs de la Seine attraper des poissons!

— Mais les pêcheurs attrapent parfois des poissons aux Etats-Unis! 30

— Ah, monsieur, vous connaissez mal la France! Je vous pardonne, vous êtes étranger. Il y a eu des poissons dans la Seine, il y en avait encore au temps de

Jules César!... Si par hasard ces hommes que vous
voyez devaient attraper un poisson, leur émotion ferait
tomber ces braves Parisiens dans l'eau. Or, ces hommes
ne savent pas nager et pour éviter des accidents, un
5 gouvernement sage et paternel ne permet pas qu'on
mette le moindre petit poisson dans ces eaux. Il pourrait grandir, il pourrait se faire attraper, et monsieur,
il y a déjà tant d'accidents qui arrivent en ville !

— Et pourquoi est-ce qu'ils pêchent donc ? dit mon ami.
10 — La réponse est difficile : ils espèrent et l'espoir est
une vertu que les pêcheurs de la Seine ont héritée depuis
des siècles...."

Longchamps. I.

" Où allons-nous aujourd'hui ? dit mon ami.

— Mais à Longchamps, tout le monde y va ! allons-y !
15 — Bon ! mais, dites-moi, qu'est-ce que Longchamps ?

Vieillard.

— Le grand champ
de courses de Paris.
Les meilleurs chevaux
de l'Europe vont s'y dis-
20 puter les grands prix.
Toute la ville y sera,
tous les étrangers y se-
ront aussi. Allons voir
Paris en fête."

25 Le temps était beau.
Le soleil tout d'or et
d'argent, versait des flots
de lumière sur la foule
qui se dirigeait vers Longchamps. Il y avait des Pari-
30 siens en voiture, des Parisiens en automobile, des Parisiens
à bicyclette, des Parisiens à pied.... C'était une proces-

sion interminable de gens qui riaient, qui chantaient, qui étaient tous de bonne humeur....

"Voyez-moi cela !" dit mon compagnon !

Un vieux char-à-bancs passa, il était asthmatique comme la cloche de Lande-Fleurie. Les rats en avaient 5 rongé le cuir et c'était évidemment une relique d'avant la Révolution. Dans cette relique vénérable, qui ne se montrait qu'aux grandes occasions, une demi-douzaine de Parisiens s'étaient installés.

"Ces gens-là me rappellent l'Espagnol du bateau, dit 10 mon ami, ils sont tout aussi gros et aussi gras.

— Et ils ont des moustaches tout aussi formidables....

— C'est comme une édition de notre Espagnol, revue, corrigée, considérablement augmentée. Les voilà qui cessent de causer et de rire, ils chantent. Ma foi ! ils 15 me font penser au Kansas....

— Au Kansas ?

— Oui, mon cher ami, aux cyclones du Kansas !"

Il faut avouer que le bruit de ces six voix était formidable et couvrait le bruit de la foule, des voitures, des au- 20 tomobiles. J'essayai encore de parler à mon compagnon : inutile ! il est difficile de se faire entendre dans la tempête !

Longchamps. II.

Nous arrivons au champ de courses, nous sommes à Longchamps. Quelle foule ! Nous pouvons à peine 25 nous approcher du guichet où l'on vend les billets d'entrée. Nous réussissons à la fin ; nous payons cinq francs et on nous donne une carte que nous attachons à notre boutonnière au moyen d'une ficelle. Cette carte d'entrée nous donne droit à une place dans la grande 30 tribune. Nous nous dirigeons vers cette tribune d'autant

plus rapidement que nous sommes fatigués de la marche
et que nous voulons nous asseoir.

"Parbleu! s'écrie mon brave ami, où allons-nous
nous asseoir? Les tribunes sont bondées de monde.
5 Inutile d'essayer de monter, on n'y trouverait pas assez
de place pour se tenir debout!

—Monsieur, dis-je à un agent, comment se fait-il que
l'on nous a vendu ce billet pour cinq francs, billet qui
nous donne droit d'entrée aux grandes tribunes, et voilà,
10 il n'y a pas moyen d'y entrer!

—Il y a au moins cinquante mille personnes, là-bas,
répond-il; la plupart de ces gens sont venus avant
l'aurore. Ils ont apporté leur déjeuner, ils sont assis là
depuis plusieurs heures. Vous êtes venus trop tard....
15 —Mais alors il ne faudrait plus vendre de billets....

—Vous avez raison, monsieur, seulement ce billet vous
donne droit d'entrée et peut-être verrez-vous quelque
chose.

—En tout cas, nous avons six pieds de haut, nous pou-
20 vons regarder par-dessus les têtes."

Les grandes courses avaient commencé. La foule
s'était groupée de telle manière autour de la pelouse
qu'il nous était impossible de voir les chevaux et les
cavaliers. Si le fameux cheval de Troie était venu à
25 passer, nous ne l'aurions pu voir; et ce cheval était
énorme!

Nous suivions donc ces courses invisibles en regardant
la foule. Mon compagnon fumait tranquillement sa pipe,
lorsque s'adressant tout à coup à moi il me dit:
30 "On m'a toujours dit que ces Parisiens sont les gens
les plus nerveux du monde. Dans quelques minutes, on
va courir le Grand-Prix. Voyons s'ils vont perdre la
tête."

Place de la Concorde, Paris

Les spectateurs qui se trouvaient dans les tribunes étaient debout. Ils suivaient les courses avec attention, ils regardaient, ils applaudissaient, mais ils restaient calmes.

"Voilà le signal de la grande course, dit un monsieur 5 qui se trouvait près de nous. Les chevaux sont partis et le premier gagnera cent mille francs...."

Et ces gens sont aussi calmes qu'auparavant! Ces cinq cent mille Français font moins de bruit que cinquante mille Américains à la partie de foot-ball entre 10 Yale et Harvard!

"Voilà les chevaux arrivés! Ces gens discutent les résultats entre amis, ils ne crient pas, ils ont peu à dire au public.

— Et cependant ils s'intéressent aux courses. Il faut 15 avouer que la foule française est différente de la foule américaine. Nous autres, nous applaudissons, nous crions, nous chantons: cela nous fait du bien. Le Français, au contraire, applaudit et parle à ses voisins ou à ses amis. Chaque pays a ses coutumes, seulement je ne con- 20 naissais pas cette coutume française. Je m'étais attendu à voir ces gens, ces hommes, ces enfants, sauter, crier, s'embrasser et les voilà qui causent comme s'il n'y avait jamais eu de Grand-Prix!

— Votre idée, n'était elle pas une caricature des Fran- 25 çais?...

— Et on caricature de préférence les gens d'esprit!"

L'armée française.

Un clairon sonne, un tambour retentit! les soldats s'en vont à l'exercice. Ils marchent d'un pas léger, le fusil sur l'épaule. Ils portent de grands pantalons rouges 30 et des vareuses bleues, tandis que leurs têtes sont coiffées

de képis rouges. Leurs pieds, chaussés de gros souliers ferrés, tombent en cadence sur le pavé. La musique militaire joue des airs joyeux et nous nous sentons
entraînés par la marche. C'est l'infanterie qui passe.

5 Les soldats sont suivis d'un escadron de cavalerie :
les cavaliers se tiennent en selle comme des statues. Ils
sont solides, leur teint est basané. Ils ont l'œil vif.
Les moustaches ne leur manquent point, les éternelles
moustaches françaises,
10 noires, immenses !

Le soleil se reflète dans
leurs casques de cuivre
doré, il remplit d'ondes
lumineuses les touffes de
15 crin de cheval qui leur
tombent sur le dos. De
grands flots de lumière
descendent sur les fi-
gures statuesques, sur les
20 selles rouges, sur les corps
luisants des chevaux.
Chaque individu forme
un tableau vivant, pitto-
resque.

Zouave.
Soldat d'infanterie française.

25 Au-dessus des régi-
ments flotte le drapeau tricolore de la France. Le bleu,
le blanc, le rouge se mêlent à l'or et à l'argent du soleil.
Les hommes ôtent leurs chapeaux et saluent le drapeau
qui passe.

30 Un ami qui avait remarqué le vif intérêt que nous portions aux beaux soldats de la France, nous dit :

"Tous les jeunes Français de vingt ans doivent devenir soldats. Aussitôt qu'ils ont atteint cet âge, ils se

présentent à la mairie où un médecin les examine. S'ils sont sans défauts physiques, ils entrent dans l'armée et ils sont envoyés immédiatement ou à la marine, ou à l'infanterie, ou à la cavalerie, ou à l'artillerie. Ils ne sont pas libres de choisir, les autorités militaires décident. 5 Exception est faite pour les jeunes gens qui s'engagent dans l'armée avant vingt ans.

"Ils vont donc faire leur service. On les paye très peu, seulement cinq centimes par jour, un sou américain.

Troupes s'installant dans le train à Belfort, le 2 août, 1914.

Le gouvernement suppose que tous les Français aiment 10 leur patrie et lui consacrent volontiers les deux années de service. Naturellement, l'Etat leur donne la nourriture, les vêtements et tous les soins nécessaires en cas de maladie. De temps en temps, les soldats reçoivent du tabac. Aux jours des grandes manœuvres, ils reçoivent 15 en outre un verre de vin.

—Dans ces conditions, monsieur, aiment-ils à servir la patrie ?

—Mais oui ! Il n'y a pas de peuple plus patriotique au monde ! Il y a d'ailleurs, certains avantages à être
5 soldat : on fait le tour de la France, ou on en voit les parties principales. On apprend à connaître les autres Français ; on est moins provincial. Ensuite, les officiers font des conférences. Ils parlent aux soldats de patriotisme, de courage, d'honnêteté. Les deux années pas-
10 sées à la caserne sont plutôt un gain qu'une perte.''

Les casernes.

"Nous voudrions bien visiter une caserne ! dit mon ami.

—Cela serait impossible ! Les étrangers sont reçus très rarement dans les bâtiments militaires. Il y a eu

Les Cuirassiers.

ces jours-ci, une véritable épidémie d'espionnage en France et personne n'est admis aux casernes à moins de raisons tout à fait spéciales.

—Nous avons remarqué plusieurs casernes, les bâtiments nous semblent très vieux. 5

—La plupart des casernes sont de vieux monastères bâtis il y a des siècles. Les moines les occupèrent jusqu'au temps de la Révolution. Après, les soldats y furent installés, et les soldats les occupent encore aujourd'hui. Comme vous l'avez remarqué, les moines savaient 10 bien bâtir. Les monastères sont solides, ils le seront dans deux ou trois siècles.

—Et les nouvelles casernes?

—On les a bâties d'après de nouveaux plans. Les bâtiments sont disposés autour d'un quadrangle pavé, 15 qui sert de cour. C'est ici que se fait l'exercice. Dans ces bâtiments modernes, on trouve des installations de bain, des appareils de gymnastique. Les officiers enseignent aux soldats l'exercice et l'hygiène.

—Les frais d'entretien d'une grande armée doivent 20 être énormes.

—En effet! Les soldats coûtent des millions à la France. Et quand un soldat termine son service, il ne reçoit pas ses articles personnels comme le soldat américain. Il doit tout laisser à la caserne, pantalons, vareuses, 25 manteau, souliers, tout! Le tailleur réparera les habits, le cordonnier mettra une paire de nouvelles semelles aux vieux souliers, puis on lavera le linge. Un nouveau venu recevra tous ces articles et s'en servira peut-être deux ou trois ans. 30

—Les soldats sont-ils heureux à la caserne?

—Mais oui! Les jeunes gens aiment à être avec les jeunes gens. C'est comme à l'école, on s'amuse, on rit,

on chante: deux années se passent vite. Puis le Français aime sa patrie, il aime à apprendre ce métier de
soldat. Un jour la patrie aura besoin de lui: il se battra
pour sa chère France.

5 — Et au besoin il saura mourir pour elle!"

Le tombeau de Napoléon.

Qui dit Paris, dit Napoléon. Le grand Corse a écrit
en grandes lettres son nom sur les pages de l'histoire de
France. Ce nom de géant ne s'efface pas. On le lit partout dans la capitale, sur les monuments publics, sur les
10 arcs de triomphe, sur les colonnes, sur les ponts, sur
les églises.

Paris aimait Napoléon, il l'aimait vivant et le voulut
même mort. Paris envoya chercher la dépouille du grand
empereur à Sainte-Hélène et lui donna un des plus beaux
15 tombeaux du monde.

Un jour Napoléon écrivit ces lignes: "Je désire que
mes cendres reposent sur les bords de la Seine, au milieu
de ce peuple français que j'ai tant aimé." Paris lut ces
mots, et comprit. Napoléon repose au milieu de son
20 peuple.

Nous parlions ainsi, lorsque mon ami me dit: "Allons
voir le tombeau de l'empereur!" Nous nous mîmes en
marche vers la fameuse église des Invalides. Cette église
a son histoire. Elle fait partie du grand Hôtel des In-
25 valides, maison de retraite destinée d'abord aux vieux
soldats de Louis XIV et ensuite aux soldats de la France.
Le Dôme et l'église sont en parfait état de conservation.
Les autels, les statues, les tableaux n'ont pas changé.
Seulement on a suspendu au haut des voûtes, les dra-
30 peaux enlevés aux ennemis de la France. Une cinquantaine d'invalides prennent soin de ces bâtiments et du

tombeau de l'empereur, qui repose toujours parmi ses
vieux camarades.

" La tombe consiste en une crypte circulaire de 70 pieds
de diamètre, profonde de 18 pieds et ouverte dans le haut.
Le sarcophage est au milieu, il est fait de quatre blocs 5
de porphyre rouge de Finlande. Le pavé est une mosaïque avec une 'gloire,' une couronne de lauriers et des
noms de bataille. Douze statues colossales qui sym-
bolisent les victoires de Napoléon sont rangées autour de
la tombe. Soixante drapeaux pris à l'ennemi forment 10
des trophées autour du cercueil. Un jour faible et
bleuâtre qui tombe d'en haut contribue encore à l'impression de solennelle grandeur que produit ce tombeau."

Mon compagnon avait lu ces mots dans son guide, son
Baedeker, quand il me dit : "Voici donc un des tom- 15
beaux les plus célèbres du monde entier. C'est un vrai
lieu de pèlerinage. Voyez ces touristes qui sont venus
des quatre coins du monde. Cet homme aux yeux bleus,
aux cheveux roux est évidemment venu du Nord, tandis
que cet individu aux yeux noirs et aux cheveux d'ébène 20
est certainement venu du Sud. J'entends de l'espagnol,
de l'italien, de l'anglais. Même les Allemands sont venus
faire visite au tombeau de leur grand ennemi, ils discutent les événements de la grande épopée impériale. Les
Anglais disent peu, ils regardent le tombeau et songent ! 25
Ils ont du respect pour le brave empereur et pour sa mémoire. ... Un jour la France et l'Angleterre étaient
ennemies, les temps ont changé : aujourd'hui une amitié
et une admiration sincères unissent les deux peuples.
Entre hommes valeureux, on oublie les haines d'hier, on 30
songe à la valeur d'aujourd'hui."

Nous entrons dans les chapelles qui avoisinent le tombeau de l'empereur. Nous y lisons les noms de Joseph

Bonaparte, de Louis, des Grands-Maréchaux de France,
sur des sarcophages somptueux.   Le nom de Joséphine
n'y paraît pas.

En prison. I.

"Avez-vous jamais été en prison? dis-je en riant à mon
5 ami.

—Ni volontairement, ni involontairement! répliqua-t-il.

—Allons faire une visite quand même, à un de ces
établissements hospitaliers !   Voici notre permis que nous
a envoyé le préfet de la Seine.   Allons voir la Santé."

10   Un gendarme nous reçoit à la porte d'entrée.   Inutile
de dire qu'il tient un fusil à la main, qu'au bout du fusil
il y a une baïonnette étincelante.   Le brave homme examine le papier : "Entrez, messieurs, dit-il, je vous con-
duirai chez monsieur le directeur de la prison.   Veuillez
15 me suivre."

Le directeur nous reçoit avec toute la politesse et la
cordialité qui caractérisent les Français.   Mon ami et
moi, qui n'avions vu que les prisons des petits villages
américains, nous ouvrions bien les yeux à la vue de cet
20 établissement immense.   Nous nous trouvions dans le bureau du chef, au centre d'une étoile dont se détachaient,
comme des rayons, des corridors flanqués de cellules.

"Comme vous voyez, messieurs, dit notre aimable hôte,
nous avons ici le système stellaire.   Tous les corridors
25 de la prison convergent en ce point central, d'où nous
pouvons observer tout ce qui se passe dans la maison.
Allons voir maintenant une des cellules."

Le chef nous conduit à une rangée de petits appartements qu'il appelle "parloirs."   Ce sont de petites cellules
30 divisées en deux, par deux cloisons grillées.   C'est ici
que les parents et les amis des prisonniers peuvent leur

L'Église Saint-Étienne du Mont. Paris

rendre visite. Ils peuvent se voir, se parler, mais ils ne
peuvent pas se communiquer des objets. Rien ne pourrait passer à travers les grilles.

Plus loin, nous voyons les parloirs des avocats.

" Comment font les prisonniers, dit mon ami, pour con- 5
sulter leurs avocats ?

— Ils peuvent leur parler dans ces cellules spéciales.
Voyez comme elles sont aménagées. L'avocat y trouve
une table, des chaises, du papier, une plume, de l'encre.
Il peut s'asseoir avec son client et lui causer en toute 10
liberté.

— J'ai toujours entendu dire, dis-je, que les accusés
français sont interrogés en secret par un juge d'instruction. Est-ce vrai ?

— C'était ainsi il y a des années ; aujourd'hui, l'avocat 15
est présent à l'interrogatoire de son client et celui-ci n'est
nullement obligé de répondre à toutes les questions. Il
répond seulement en présence de son avocat.

— L'accusé français doit prouver son innocence, dit mon
ami ; chez nous, en Amérique l'Etat doit prouver qu'il 20
est coupable.

— En pratique, cela revient au même. L'accusé a
toutes les facilités pour prouver son innocence, puis nous
n'arrêtons personne, si ce n'est pour des raisons suf-
fisantes : il n'y a pas d'arrestations arbitraires. Comme je 25
vous l'ai dit, le prisonnier n'est interrogé qu'en présence
de son avocat.

— Celui-ci peut-il visiter son client quand il le veut ?

— Mais certainement ! Aussitôt qu'un avocat se présente, nous le conduisons dans la cellule réservée aux 30
gens de la loi.

— J'ai remarqué une petite ouverture dans la porte,
dis-je.

— Cela nous permet de voir ce qui se passe à l'intérieur.
Notre longue expérience avec ces criminels nous a prouvé
qu'il faut toujours être sur ses gardes, car nous ne savons
jamais ce qui pourrait se passer dans ces parloirs. Un
5 avocat pourrait avoir besoin de secours. Cependant la
surveillance des parloirs des avocats n'entrave nullement
leur liberté ni celle de leurs clients."

En prison. II.

En passant de corridor en corridor nous rencontrons un
nombre de gendarmes qui s'arrêtent un instant, saluent
10 le chef et lui disent quelques mots. Je tâche en vain de
comprendre ces phrases mystérieuses ; le chef s'aperçoit
de ma curiosité : "Vous ne comprenez pas ce procédé !
dit-il en souriant.

— Franchement, je trouve tout cela un mystère, ré-
15 pondis-je.

— Permettez que je l'explique, dit-il. Ces mots que
vous avez entendus sont toujours les mêmes. Ce sont
les mots de la consigne. Supposons qu'un prisonnier
réussisse à s'échapper de sa cellule, supposons en outre
20 qu'il réussisse à se déguiser en employé. Tout son déguisement ne lui servirait de rien, à moins qu'il ne connût
la consigne. Il serait découvert presque à l'instant, on
lui demanderait au moins dix fois la consigne avant
d'arriver à la porte.

25 — Un autre détail me frappe, dis-je. Ces gardiens de
la prison vous saluent avec déférence ; cependant je vois
sous leur extérieur de respect un air de cordialité. Ces
hommes vous sont dévoués et à leur respect s'unit leur
dévouement.

30 — Ce sont de vieux camarades, répondit-il. Nous
sommes tous ici depuis des années. Nous nous con-

naissons depuis longtemps, nous nous estimons. Il y a
des braves gens parmi ces gardes, des hommes d'un
courage à toute épreuve. Mais entrons dans une des
cellules des prisonniers, dit-il. Vous allez voir comment
nous logeons nos amis." 5

Il ouvrit une porte au moyen d'une clef énorme : nous
nous trouvions dans une cellule. L'appartement avait
dix pieds de profondeur sur huit de large. Tout était
propre, bien aéré, et une lumière abondante passait librement à travers une grande fenêtre pratiquée dans le mur. 10

Une table en bois, une chaise également en bois, un lit
en fer et un matelas propre constituaient les meubles de
la cellule. Deux couvertures de laine étaient soigneusement pliées sur le matelas.

Sur la table, il y avait un gobelet et une gamelle en 15
fer-blanc. Ils semblaient faits d'argent, tant ils luisaient
au soleil. A côté de la gamelle se trouvait une cuiller
modeste de bois jaune.

Tous ces meubles, le mur lui-même et le parquet
étaient d'une propreté minutieuse. Pas un grain de 20
poussière, pas une tache ! "Permettez que je vous offre
mes compliments, dit mon ami, votre prison est admirablement tenue, monsieur le chef.

— Oui, dit-il, nous aimons à avoir les choses propres.
Une cellule bien nettoyée, bien aérée, bien chauffée exerce 25
une bonne influence sur le prisonnier."

A ce moment, nous voyons dans le corridor un monsieur à la barbe et aux cheveux blancs. Il est accompagné d'un gendarme qui ouvre une cellule et fait entrer
l'homme vénérable. 30

" Ce monsieur n'est pas un prisonnier, mon chef ?

— Cet homme a l'air distingué, n'est-ce pas ? Cependant, c'est un de nos habitués ; pauvre homme, il

pourrait se rendre bien utile à la société, hélas! il
n'emploie son intelligence qu'à commettre des crimes.

— Il faut avouer que les apparences sont trompeuses!
dit mon ami en voyant disparaître cet homme dans la
5 cellule."

La bibliothèque de la prison.

"Nous allons voir à présent, dit le chef, la bibliothèque
de la prison. Cependant, avant d'y aller, nous nous
arrêterons un moment aux promenoirs. Vous verrez
comment les prisonniers prennent l'air."

10 Il nous introduit dans une cour divisée en couloirs par
des murs énormes. Les couloirs ont une largeur de six
ou sept pieds, une profondeur de quarante. Les murs
ont une hauteur d'au moins quinze pieds. C'est ici que
chaque jour le prisonnier vient se promener quinze ou
15 vingt minutes en silence. Sur le haut des murs se tient
une sentinelle qui surveille tous ses mouvements.

"Que tout cela est triste! dit mon ami. Ce régime
cellulaire doit être affreux, ces longs jours, ces longues
nuits de solitude et de silence! J'y perdrais la raison!
20 — Vous avez raison, dit le chef. La solitude serait
effroyable, cependant les prisonniers, s'ils ne peuvent
parler à personne, ne sont pas toujours seuls. Ils ont à
leur disposition une bibliothèque bien choisie. Chaque
semaine ils peuvent se procurer un volume; ils peuvent lire
25 après qu'ils ont fini leurs tâches. Si leur conduite est excellente, ils ont droit à la ' bibliothèque de faveur.' Cela
veut dire qu'ils peuvent obtenir deux livres par semaine.

— Et quels sont les auteurs favoris de vos prisonniers?

— Voici la bibliothèque, dit-il, vous verrez vous-mêmes
30 ce que nos amis aiment à lire."

Un employé de la prison nous reçoit et nous montre

L'Opéra, Paris

les livres. Il se fait un plaisir de nous indiquer les préférences des prisonniers. En premier lieu, ils lisent Fenimore Cooper. Ils aiment les histoires des Peaux-Rouges et peut-être la grande vie dans les plaines du Nouveau-Monde. Ensuite ils lisent Mayne-Reid, un [5] autre auteur qui parle des Indiens et des plaines. Ils aiment beaucoup les romans du grand Flamand, Henri Conscience. Les héros de ces romans sont des hommes robustes, simples, que tout le monde peut comprendre. Balzac et Walter Scott ont leurs amis. Les prisonniers [10] aiment la littérature, ils préfèrent les littérateurs sérieux. Nous remarquons aussi des livres techniques, des journaux, des revues. Dans un coin de l'appartement il y a un peu de tabac.

" Les prisonniers peuvent-ils fumer? dit mon ami, qui [15] aime un bon cigare.

— Certainement, dit le chef. Ils reçoivent du tabac une fois par semaine, en outre ils ont la permission d'en acheter. Vous voyez, on est assez bien traité en prison, dit-il en souriant. Voici une carte de vivres supplémen- [20] taires. Ce tarif est affiché au mur de chaque cellule, les prisonniers peuvent commander ce qu'ils désirent."

Notre visite va se terminer. Nous donnons un dernier coup d'œil à la cuisine propre comme le reste de la maison. Nous mangeons un morceau de pain que le chef [25] nous offre, nous en gardons un morceau que nous emportons comme souvenir de la prison française.

VERSAILLES

Le Palais Royal.

Jadis il y avait en France un roi nommé Louis XIV. C'était un grand roi et la France était un grand royaume. Elle était à l'apogée de sa gloire et de sa richesse. Louis [30]

éclipsait en élégance les autres rois de l'Europe et ses
courtisans l'appelaient " le Roi-Soleil." A ce Roi-Soleil
il fallut une demeure digne de son nom : il fit bâtir
Versailles.

5 Le village de Versailles n'était pas loin de Paris. Il
avait un climat sain, un air pur et parfumé par les odeurs
des sapins. Louis acheta donc plusieurs fermes, fit venir
les architectes les plus
célèbres de son royaume
10 et leur commanda de lui
bâtir un palais et de
lui tracer des jardins.
Versailles devint l'ex-
pression la plus parfaite
15 de la beauté et de la
splendeur royales.

Les paysans vinrent et
virent ces belles maisons,
ces beaux jardins et ils
20 crurent que le roi était
tout simplement un être

Statue de Louis XIV, à Versailles.

supérieur. Ils mêlèrent son nom à leurs histoires naïves
et les enfants aussi commencèrent à croire que les rois
n'étaient pas des hommes ordinaires. Ils s'imaginaient
25 que ceux qui vivaient dans ces palais avaient des res-
sources inépuisables, ils croyaient que la richesse et le
pouvoir du roi étaient sans bornes.

Si par hasard un paysan entrait dans les appartements
royaux, il retournait dans son village et racontait à sa
30 femme, à ses voisins, les merveilles qu'il avait vues.
Peut-être se demandait-il d'où provenait tout l'argent,
tout l'or de ces rois. Dans sa tête de paysan se préparait la Révolution Française.

Et cette révolution qui chassa les rois des palais,
permit au peuple d'y entrer. Les bons rois et les bonnes
reines ont disparu et des touristes parcourent leurs
chambres à coucher, leurs salons, leurs salles à manger,
leurs jardins. Il y a là des Français, des Anglais, des 5
Américains, des Allemands, des blancs, des noirs, des
jaunes. Tous ces gens se promènent dans les appartements où se promenait Louis XIV.... Nul soldat ne
les arrête à la porte: tous entrent librement, tous vont
partout où ils veulent.   10

Que les temps sont changés! Mais après tout, qui
donna aux rois l'argent pour bâtir ces magnifiques
demeures?

Le peuple français! et c'est surtout ce peuple français
qui se promène dans ce palais   15

Le palais de Versailles. II.

" Cependant, me dit mon ami, Versailles est l'expression non seulement du pouvoir des rois, Versailles est
aussi une expression du génie artistique français du
XVIIème siècle. Les Français aiment le beau même dans
l'utile; or Louis était suprêmement français, donc il lui 20
fallait le beau!

" Regardez un moment ces détails artistiques. Vous
et moi, nous nous contenterions d'un simple verre pour
boire, mais il n'en était pas de même des rois et des
reines. L'art français leur donna à boire dans des 25
coquilles de marbre blanc que leur tendaient des
nymphes d'albâtre.

" Voyez encore ces candélabres! Une chandelle vous
aurait suffi en ce temps-là; et même de nos jours, une
lampe vous fournit toute la lumière qu'il vous faut. 30
Au roi de France on donna des candélabres superbes.

Voyez ce groupe d'enfants de bronze, trois amours qui
tiennent des torches pour le roi. Tout cela est beau,
aussi le roi voulut ces candélabres.

"Si par hasard nous voulons étudier l'histoire, nous
5 nous servons d'un livre, nous lisons. Les rois de France
pouvaient se promener d'appartement en appartement
et étudier les annales de la France en contemplant les
murs et les voûtes des grandes salles. Les artistes de
l'Europe y avaient tracé des tableaux immenses où
10 l'art et l'histoire se disputaient l'attention des promeneurs. Des sculpteurs, de concert avec les peintres, re-
produisirent en marbre et en bois les faits glorieux de
la France.

"Napoléon, qui reçut ce palais en héritage de la
15 Grande Révolution, était français comme tous les autres :
donc lui aussi se mit à orner les endroits que ces prédécesseurs n'avaient pas touchés. Après lui, la République continua son œuvre et aujourd'hui Versailles est
un des plus beaux endroits du monde."

Louis XVI et Marie-Antoinette.

20 Pendant que nous causions, un groupe de touristes
s'avança dans la salle. C'étaient des gens dont la grosseur égalait la hauteur. Ils avaient des figures rouges,
des cheveux blonds, des yeux bleus. Ils parlaient à
voix basse et leurs paroles sortaient du fond de leur
25 gosier.

"Des Allemands !" dit mon ami.

Un guide s'avança, un jeune homme d'une trentaine
d'années, attaché à une grande paire de lunettes d'or.
Je ne saurais plus donner son portrait, tout ce que je
30 voyais alors, tout ce que je me rappelle maintenant,
c'est cette paire de lunettes au-dessus d'une large bouche

Charge des Cuirassiers à Reischoffen, Versailles

qui parlait dans la langue d'Outre-Rhin. Je me rappelle
aussi son auditoire germanique. Tous ces hommes
buvaient les paroles du guide comme le sable boit
l'eau.

"Voici, meine Herrschaften, dit cet homme merveil-5
leux qui connaissait l'histoire de chaque tableau, de
chaque statue, de chaque clou, voici les appartements du
roi Louis XVI et de Marie-Antoinette. C'est ici que se
tint le roi avec 'sa famille, lorsque le peuple vint de Paris
pour lui demander du pain. La foule était là-bas dans 10
la cour, le roi se montra au peuple à ce balcon. Voici
l'endroit exact où se trouvait le monarque." — Il indiqua
du doigt un coin du balcon.

Je regardai cet endroit pour voir si les talons du
roi y avaient laissé leurs marques. J'aime l'exactitude 15
en toutes choses, je m'intéresse à l'histoire exacte.

"La reine, continua l'homme aux lunettes d'or, n'osa
pas se montrer à la foule quoiqu'on l'appelât pendant des
heures. L'après-midi elle ne put plus refuser de répondre
à ces cris, elle s'avança à son tour au balcon et se pré-20
senta au peuple. Vous connaissez ce chapitre de l'histoire de France. La pauvre femme fut insultée et
menacée de mort! Voici l'endroit exact où elle se tint,
voici l'endroit exact où se tint le roi, voici l'endroit
exact où se tinrent les enfants, meine Herrschaften!" 25
Cet homme était farouchement savant!

"La foule attaqua le palais, reprit-il, mais le brave
marquis de Lafayette s'opposa aux agresseurs, il en tua
une demi-douzaine. Quelques-uns des soldats, il y en
avait six, meine Herrschaften, tombèrent aussi. Quand 30
nous descendrons, je me ferai un plaisir de vous monter
l'endroit exact où ils tombèrent."

"Le roi et la reine s'échappèrent, mais le lendemain

ils se rendirent à Paris. Plus tard, ils tâchèrent de s'enfuir de cette ville. Consultez Carlyle, Histoire de la
Révolution Française, Tome II, Livre IV, page 20. En
1793 le roi fut guillotiné, sa femme le suivit sur l'écha-
5 faud. On peut encore voir à Paris à la Conciergerie, la
chambre où fut emprisonnée la reine, et on montre à la
Place de la Concorde l'endroit exact où ils furent guil-
lotinés."

Les gros Allemands absorbaient ces paroles en silence.
10 C'étaient sans doute des âmes sympathiques et le récit
du guide les avait touchés. Nous autres aussi, nous
songions à la grande catastrophe qui avait bouleversé
la France....

Guides et endroits historiques.

"Ce guide, dit mon ami, est évidemment un homme
15 instruit. Il raconte son histoire modestement, discrètement. Cependant, il me semble que son désir de montrer
'l'endroit exact' est un peu grotesque.

—La faute n'est pas à lui, répondis-je. La faute
est au public. C'est le touriste qui aime à avoir sous les
20 yeux la scène des événements : il veut toucher des mains,
fouler des pieds les lieux historiques. Prenez ces braves
bourgeois que nous avons vus passer à l'instant. Ils ne
sont pas différents du reste des hommes. Ils s'en re-
tourneront en Allemagne et ils raconteront à leurs amis
25 comment ils ont mis le pied 'à l'endroit même' où reposa le pied de Louis XVI. Ils auront touché de la main
sa table, sa chaise, ils les auront vues de leurs propres
yeux.

—Si les guides ne savaient montrer ces endroits exacts,
30 et la plupart de ces endroits sont absolument inexacts, il
faudrait inventer des lieux historiques. Allez à Mount-

Vernon, vous y trouverez les souvenirs de Washington,
les endroits où le grand homme se promena, les lieux où
il se reposa. Allez à Richmond et on vous montrera les
souvenirs exacts du grand preux du Sud, Robert Lee.
Vous toucherez de vos mains les objets qui ont appar-5
tenu à Jackson....

— Vous avez raison, dit-il. On raconte que certains
touristes venus à Londres demandaient aux guides de leur
montrer l'endroit exact où le brave Pickwick s'était
battu avec le cocher. Un des guides s'avisa de trouver 10
l'endroit exact. Tous les touristes comprirent que ce
guide en savait plus sur Pickwick que les autres ; aussi
fut-il tout le temps retenu par les touristes. Les autres
guides devinèrent son secret et eux aussi commencèrent
à montrer des endroits où eurent lieu des épisodes des 15
romans de Dickens. Aujourd'hui vous pouvez voir tout
ce que vous voulez en Angleterre...."

Nous étions dans la fameuse "Salle des Glaces." C'est
ici que Guillaume Ier fut proclamé empereur d'Allemagne. Notre guide allemand était revenu avec ses 20
amis.

" Guillaume fut proclamé empereur dans cette salle,
dit-il, le 18 janvier, 1871. Voici l'endroit exact où se
trouvait le chancelier de l'empire, Bismarck. Von
Moltke, généralissime des armées de l'empereur, se trou-25
vait exactement ici....

— Allons dans les jardins," dit mon ami.

Je le suivis volontiers.

Les jardins du roi.

Si le palais de Versailles est beau, les jardins sont
superbes. Ni mon ami ni moi, nous n'avions jamais rien 30
vu de pareil. L'artiste qui avait créé ces merveilles

avait combiné la beauté de la nature et l'art de l'homme. Les jardins sont immenses et cependant le promeneur sent partout l'harmonie de ce chef-d'œuvre. Les allées aboutissent à des lacs, les bassins sont entourés de

Bassin d'Apollon aux Jardins de Versailles.

5 groupes d'arbres. Dans ces allées, sous ces arbres, il y a des bancs de marbre blanc que le temps a couverts de mousse, ou des statues qui représentent des sujets allégoriques et qui rappellent des incidents de la mythologie.

"Tout cela est vraiment pour des rois et des reines,
dit mon compagnon. Je m'attends à chaque instant à
voir paraître ou le roi lui-même, ou une personne de son
entourage. Regardez ces bateaux légers qui flottent sur
ce lac, il me semble qu'ils sont faits pour des marquises, 5
et non pour ces gros bourgeois qui vont faire des promenades en barque. Naturellement je préfère la république, mais dans ces domaines royaux, tous ces gens du
peuple me semblent hors
de leur milieu."   10

Petits Français au parc.

Nous étions alors ar-
rivés à une allée qui me-
nait sur une colonnade
de marbre blanc. Im-
possible de rien ima- 15
giner de plus délicat.
Un péristyle circulaire
se détachait sur la forêt,
ses colonnes se compo-
saient de marbre de dif- 20
férentes couleurs. Au
milieu du cercle s'élevait
une statue également de marbre blanc. Elle représentait l'enlèvement de Proserpine, emportée par Pluton aux
Enfers.   25

C'est autour de ce groupe que le roi et la cour venaient
écouter la musique. Les musiciens se trouvaient dans
un cercle où ils descendaient par quatre marches. La
cour se trouvait au-dessus des musiciens sur une plate-
forme circulaire de granit. Quatre portes dissimulées 30
dans la verdure permettaient au roi et à la cour de venir
et de se retirer discrètement.

"Les concerts devaient être beaux, surtout les nuits

d'été quand la lune versait sa lumière argentée sur ces
bois, sur ces allées, quand les arbres étaient tranquilles et
que la brise s'était envolée! dit une jeune fille qui
était assise sur une des marches, près de sa mère....

5 —Oui, mon enfant, répliqua la vieille dame, tous ces
grands de la France ne sont plus, mais le même soleil
brille dans le même ciel. Vois les oiseaux qui bâtissent
comme toujours leurs nids dans les ouvertures de ces
colonnades, leur chant n'a pas changé. Leurs ancêtres
10 chantaient pour les rois de ce pays, tandis qu'ils chantent pour toi et pour moi. En sommes-nous moins
heureux? L'homme a changé la mode de ses habits, ses
coutumes, mais au fond il reste le même. Ces oiseaux
ne voient aucune différence entre les aristocrates de jadis
15 et les plébéiens d'aujourd'hui. Ils chantent aussi joy-
eusement pour toi que pour eux...."

RETOUR EN NORMANDIE

Le marché de Granville.

Nous étions arrivés à Granville, petit village sur la
côte de la Normandie. "Tous les matins, nous avons un
marché à Granville, nous dit le garçon de l'hôtel. Si
20 vous n'avez jamais vu un marché français, vous pourrez
en voir un demain, mais vous devrez vous lever très tôt."

A peu près cinq heures du matin le son d'une cloche
me réveilla. J'appelai mon compagnon et bientôt nous
fûmes sur la place publique où se tenait le marché.
25 Malgré l'heure matinale, les marchandes étaient déjà
arrivées. Je dis "marchandes" puisque les hommes
n'étaient pas représentés parmi les personnes qui s'occupaient de la vente des légumes et des fleurs. Il est
vrai que des paysans étaient venus des environs pour

apporter leurs légumes et leurs fruits, mais ces campa-
gnards se préparaient à s'en retourner chez eux.   Après
quelques minutes tous
ces hommes avaient dis-
paru.   5

Marché aux fleurs, Granville.

"Il faut avouer, dit
mon compagnon, qu'il y
a une énorme différence
entre ces braves mar-
chandes et les femmes de 10
Paris.   Celles-ci étaient
petites, élégantes, tandis
que les dames de Gran-
ville sont grandes.

—Puis elles ont l'air 15
terriblement sérieux ! Elles ne sourient pas quand elles
vendent leur marchandise, les dames de Paris au contraire étaient gentilles.   Chaque pays a ses coutumes."

Nous allions donc nous promener devant les différentes
installations, nous demandions le prix des choux, des 20
carottes, des radis, des pommes de terre, des pommes,
des cerises.   Les marchandes saisissaient ces fruits et
ces légumes à pleines mains et nous les tendaient en
nous regardant droit dans les yeux.

"Achetons des cerises, dis-je à mon ami.   25

—Très bien, dit-il, ces cerises sont superbes."

La bonne dame, aux mœurs simples, prit les beaux
fruits et les versa dans un morceau de journal qui
n'était pas trop propre....

"Permettez, madame ! ne mettez pas ces cerises dans 30
ce vieux papier, n'avez-vous pas un sac de papier neuf ?

—Mais oui, messieurs."   Et elle prit un sac de papier
dans le panier de sa voisine et y versa les cerises.

A ce moment une jeune dame s'approcha de l'étalage et fit provision de choux, de haricots, de pommes de terre et d'une grande poignée de salade.

"Voyez, dit mon ami, toutes ces acheteuses finissent 5 par acheter une quantité de salade verte ; qu'est-ce qu'elles en font ?

—C'est là encore une coutume française ! Un dîner français qui ne se termine pas par une salade, est un dîner absolument incomplet. A la fin du dîner, le chef 10 de la famille prend le saladier où sa dame a mis les feu-

illes vertes et au moyen d'une cuillère et d'une fourchette de bois, il mêle ces feuilles avec 15 du vinaigre, de l'huile, du poivre et du sel. Il faut de l'expérience pour obtenir des résultats satisfaisants, un peu 20 trop de vinaigre gâte la salade.

—Regardez de nouveau cette dame : elle achètera des fleurs."

Une rue étroite à Granville.

25 En effet elle s'approcha de la marchande de fleurs et se procura un bouquet de roses. Puis elle s'en alla rapidement, les fleurs et les légumes à la main.

"La salade, dis-je à mon compagnon, est essentielle à un bon dîner, les roses sont indispensables. Les Fran-30 çais aiment à rassembler leurs amis et leurs familles autour d'une table abondamment servie, mais il faut que la table soit belle.

—Ils ne sont pas les seuls, dit mon ami. Aux Etats-

Unis, nous ne saurions non plus nous passer de fleurs !
L'homme est partout le même !"

Encore les marchandes.

Une vieille femme vendait du lait. Elle était propre,
et ses habits étaient blancs comme la neige, ses mains
sans la moindre tache. Elle tenait à ses pieds un pot de 5
grès, réceptacle luisant rempli de crème. Au moyen
d'une cuillère, qui brillait au soleil, elle puisait la pré-
cieuse crème et la versait dans des tasses que lui présen-
taient ses clientes.

" Regardez! dit mon ami, elle vend la crème à la cuil- 10
lerée.

— Les Français sont économes.

— Ce qui explique pourquoi la France est une nation
riche. Ce peuple français ne gaspille rien.... Eh, ma
foi !... s'écria-t-il, regardez ces femmes-là ! qu'est-ce 15
qu'elles vendent? Et il me montra deux femmes qui
étaient en train de découper des poissons qui avaient
l'air de requins. Les poissonnières étaient très occupées
et leurs tabliers et leurs sabots étaient couverts de boue.

— Permettez, madame, quel est le nom de ces poissons ? 20

— Roussette, monsieur.

— Un poisson de mer, évidemment, madame.

— En effet, monsieur, et un des meilleurs. Ces poissons sont absolument frais, les pêcheurs les ont pris ce
matin. Ils ont apporté en même temps ces magnifiques 25
anguilles. Voyez, messieurs, comme elles sont grandes.
En voulez-vous ce matin ?

— Nous sommes touristes, madame, nous dînons à
l'hôtel.

— En ce cas vous en aurez au déjeuner. Madame est 30
venue ce matin en acheter."

On nous servit du poisson au déjeuner comme la poissonnière nous l'avait dit.

"Garçon, quel est le nom du poisson que vous nous servez? dit mon ami.

5 — De la roussette, messieurs."

Mon ami essaya le poisson et le trouva excellent. "Cependant, dit-il, je dois vous dire que si j'étais aux Etats-Unis, je ne mangerais nullement de la roussette.

— Vous feriez comme les habitants du Sud, qui ne
10 mangent jamais d'anguille parce qu'elle ressemble trop au serpent."

Poterie de Badajoz.

Au coin de la place publique, nous vîmes un âne et un homme. L'âne se reposait sur trois pieds tout en portant un panier énorme rempli de vases rouges. L'homme se
15 tenait près de l'animal. Il avait dans les mains quelques carafes comme celles qui se trouvaient dans le panier et il en avait mis quelques-unes sur le trottoir à ses pieds.

"Cela fait un joli groupe, dit mon ami; j'aimerais bien
20 en faire la photographie.

— Je demanderai à l'homme de poser, lui répondis-je. Je suis sûr que notre ami n'est pas Français, mais il sera tout aussi poli. Regardez: il est petit et il a le visage hâlé. Il m'a l'air d'un Espagnol."

25 Je ne me trompais pas. Le jeune Espagnol parut content, il se mit à la tête de son animal: "Prenez mon portrait, dit-il, si cela vous fait plaisir."

Une vieille femme qui nous épiait à une petite distance, s'approcha en courant; évidemment elle aussi était
30 Espagnole. Elle était petite comme le jeune homme et ses yeux et ses cheveux étaient noirs.

Le jeune Espagnol de Granville.   Muñido, son âne, ses carafes,
et ses vases rouges.

"Maman, dit le jeune homme en s'adressant à la dame,
ces messieurs vont faire mon portrait et celui de mon
bourrico. . . .

— Et ils nous l'enverront en Espagne ?

— Oui ! monsieur me l'enverra.   5

— Je le ferai volontiers, dit mon ami, vous n'aurez
qu'à me donner votre adresse. Seulement, tenez-vous
tranquille d'abord ! . . . Voilà ! cela y est ! Voulez-vous
me donner votre adresse ? mon compagnon en prendra
note.   10

—La voici, monsieur.

Señor Jéronimo Muñido Vega,
Salva Tierra del Lovara,
Provincia de Badajoz, España.

5 —Nous venons en France chaque année, continua-t-il.
Nous traversons les Pyrénées au printemps, nous venons
vendre les articles que nous avons faits en hiver. Nous
serons très heureux de recevoir ce portrait comme souvenir de notre voyage, cet été-ci.

10 —Je vous l'enverrai avec plaisir, dit mon ami.

—Puis-je vous offrir le montant des frais ?

—Permettez que je vous l'envoie avec mes compliments. Je vous l'enverrai des Etats-Unis."

L'homme se confondit en remerciements. Mon ami a
15 envoyé le portrait et je suis sûr que notre ami Vega
raconte à sa famille et à ses voisins, sa rencontre avec
les deux Américains et l'histoire de son portrait.

L'âne-statue.

"Parbleu ! s'écria mon ami, comme nous retournions
à notre hôtel vers la tombée de la nuit, cet âne n'a pas
20 bougé depuis ce matin ! Il est exactement à la même
place où il était au lever du soleil, il y était à midi, et le
voilà encore au même endroit ! Puis il lève toujours la
même patte.... Ce n'est pas possible ! "

Un Français qui passait en ce moment et qui entendit
25 les paroles de mon ami, s'arrêta.

"Ami, dit-il, je vois que vous êtes étranger. Vous
n'avez pas de moustache comme les Français, ensuite
votre figure et vos habits vous trahissent. Votre façon
de vous étonner me prouve en outre que vous n'êtes pas
30 du pays. Permettez donc que je vous explique ce que
vous ne comprenez pas.

— Votre amabilité, monsieur, répondis-je, est grande.
Nous nous étonnons de l'immobilité de cet animal.   Nous
avons fait son portrait aujourd'hui, il n'a pas bougé
depuis.

— Votre étonnement est parfaitement raisonnable. 5
Nous autres qui voyons ce bourrico depuis notre naissance, nous ne nous étonnons plus.   Il est là chaque
été, il est toujours à la même place.   Nous le voyons
au lever du soleil.   Nous le laissons à cet endroit à la
tombée de la nuit.   Il ne bouge jamais.   Du temps de 10
mon grand-père, il chassait encore les mouches, mais
il y a longtemps de cela.   Mon grand-père est mort
quand j'étais jeune.   L'homme meurt, l'âne a la vie
longue.

— Oui, mais !...   15

— Pardon, mon cher étranger, avez-vous jamais vu le
cadavre d'un âne ?   Vous, monsieur, dit-il, en s'adressant
à moi, en avez-vous jamais vu un ?

— Puisque vous le demandez...non ! je ne me rappelle
pas avoir vu le cadavre d'un de ces animaux.   20

— C'est juste !   Donc cet animal est vieux !   Il comprend
la futilité des mouvements inutiles.   Il est là, il ne bouge
pas.   Il mange peut-être la nuit, qui sait !   cet animal
est remarquable et il y a des gens qui prétendent qu'il
se pétrifie.   Vous rappelez-vous les pêcheurs de la 25
Seine ?

— Grand Dieu ! dit mon ami en regardant son interlocuteur, êtes-vous le même personnage que nous avons
rencontré dans notre promenade sur la Seine ?

— J'ai l'honneur d'être le même, dit-il, je suis heureux 30
de vous revoir." Il nous offrit la main et en riant nous
pria de faire une promenade avec lui.   A notre retour,
le bourrico était toujours là, tranquille, immobile !

Les blanchisseuses.

Dans le Sud des Etats-Unis, la blanchisseuse est noire,
à Granville elle est blanche.   La négresse du Sud se
tient debout près de sa cuve à laver, la blanchisseuse
française s'agenouille au bord de la rivière.   La blanchis-
5 seuse américaine frotte son linge sur une planche, la

Les blanchisseuses de Granville.

Française le frotte sur un rocher.   En outre, elle bat le
linge au moyen d'un battoir en bois, puis le frotte encore
avec une brosse.   Le malheureux linge ne peut résister
longtemps à ce traitement; cela fait vivre les marchands
10 de toile. . . .   Le savon que les blanchisseuses emploient

mousse comme le savon des coiffeurs en Amérique, et
savon, mousse et eau de savon, tout va tomber dans le
courant. . . .

Il y a au moins vingt de ces femmes assises de chaque
côté de la rivière ; toutes frappent, savonnent, frappent 5
encore avec leurs battoirs et l'eau devient un flot de ma-
tières chimiques. Elle ne ressemble plus à de l'eau, elle
émet des odeurs épouvantables.

Malgré ces odeurs et la fatigue du travail, malgré la
chaleur en été, malgré le froid en hiver, ces blanchis- 10
seuses viennent s'asseoir ici au lever du soleil et y restent
jusqu'à son coucher. Elles travaillent dur !

Elles causent, rient, se racontent les nouvelles du pays.
Elles les savent toutes, parfois même avant que les événements ne soient arrivés. 15

Sur la Seine.
Appareil des blanchisseuses.

Si les accidents ou les
scandales sont rares, elles
en inventent. Elles ont
la langue bien pendue !
A ce moment, un éclat 20
de rire fou court le long
de la rivière : une grande
femme rousse raconte
une histoire. Elle parle
vite et ne s'arrête nulle- 25
ment dans son récit. Elle
parle et frotte son linge
avec sa brosse. Je ne puis
comprendre ce qu'elle dit.
Un nouveau rire éclate. 30

" Ces femmes sont très heureuses, ce me semble ! dit
mon compagnon. Combien peuvent-elles gagner par
jour ?

—Un franc cinquante ou deux francs. Ce n'est pas mal pour une femme! dit un homme qui nous avait entendus.

—Cela fait de trente à quarante sous américains!...
5 Ce n'est pas trop pour un travail si pénible."

Nous tournons le dos aux blanchisseuses et nous continuons notre promenade. Elles riaient, causaient. Après quelques moments de silence une jeune fille entonna une chanson, toute la bande chanta avec elle.

La grande coutume française du pourboire.

10 Il y a des merveilles en France, des merveilles de peinture, de musique, d'architecture. Toute cette beauté s'éclipse devant la grandeur et l'universalité de l'institution nationale française du " pourboire."

La philologie décompose "pourboire" en deux mots :
15 "pour" et "boire," c'est-à-dire que tout cet argent qui se donne aux domestiques et aux garçons français leur est donné pour apaiser leur soif. Tous ces gens souffrent d'une soif affreuse! plusieurs millions de Français et un nombre immense d'étrangers se sont efforcés en vain
20 d'étancher cette soif pernicieuse. Ce triste état de choses ne s'améliore pas! Au contraire, la soif empire! Le nombre des gens qui souffrent de cette soif augmente toujours! C'est affreux!

Le pourboire commence à l'aurore, il continue jusqu'aux
25 heures de la nuit. Le pourboire se demande pendant la journée entière ; la demande ne cesse pas au coucher du soleil. Quand vous vous rendez à l'hôtel, le commissionnaire vous tend la main, signe infaillible de la soif nationale. Pourboire! Le domestique prend vos bagages
30 et les monte. Il a une soif horrible : pourboire! Le garçon qui vous sert à table, la femme de chambre, le

cocher, tous souffrent également!... Au restaurant,
le patron lui-même ne fait pas exception. Il vous vend
un dîner pour deux ou trois francs, mais il vous demande
d'abord vingt-cinq ou trente ou cinquante centimes
"pour le service," c'est-à-dire pour l'usage que vous allez 5
faire d'une serviette, d'une cuillère, d'une fourchette!
C'est horrible!

"Heureux pays! s'écrie mon compagnon, où le patron
peut engager des domestiques et laisser aux étrangers
le soin de les payer! Quel compliment délicat on fait à 10
la générosité des touristes! A-t-on jamais rien vu de
pareil au monde?

—Hélas, oui! il y a un autre pays tout aussi civilisé
où les domestiques dépouillent poliment les clients.
Il y a peu de différence entre ce pays-là et ce beau pays 15
de France!...

—Grand Dieu! Je ne ferai jamais un voyage dans ce
pays-là.... Où trouve-t-on encore une soif semblable à
celle des garçons et des domestiques français?

—Chez nous, en Amérique!" 20

Le Mont Saint-Michel. I. La grève.

Il y a des siècles, la côte de la Normandie se terminait
en une longue pointe qui s'avançait dans la mer. Un
jour, un tremblement de terre sépara cette pointe de la
terre ferme, ne laissant que deux petites montagnes qui
se voient encore aujourd'hui. La plus grande des deux 25
est située à une trentaine de kilomètres de la terre ferme
et un homme pourrait s'y rendre en cinq ou six heures,
seulement le voyage à pied serait dangereux. L'abîme
que la mer avait creusé entre la terre et la montagne s'est
rempli de sable et ce sable n'est pas solide. Pour aller à 30
la montagne, il faut un guide qui connaisse les lises.

Le Mont Saint-Michel.

Le nom de cette montagne est Le Mont Saint-Michel et ce nom est célèbre non seulement en France, mais dans le monde entier. Chaque année, de vingt à trente mille touristes vont visiter ce lieu solitaire.

Mais parlons d'abord de la grève. Un écrivain 5 français, P. M. Estienne en parlant de ces sables qui sont si unis et qui vous invitent à la promenade, dit :

"Malheur à celui qui s'aventure sans guide sur ces terres incertaines et tremblantes.... Il croit voir devant lui une route dure et unie, il s'élance gaîment, il est 10 perdu ! Ses pieds s'enfoncent dans le sol...à peine y prend-il garde...mais ses jarrets se mouillent... il veut s'avancer...trop tard !...

Le terrain plat et ferme de tout à l'heure n'est plus autour de lui qu'une vase visqueuse et mobile. Ses 15 genoux ont touché le sable...au secours !.... Vains efforts !... Les cuisses ont disparu...le buste seul se dresse !... Horreur !... Le soleil brille radieux, au loin de fines voiles se bercent sur les flots, la voix du pâtre chante un noël ... la poitrine étouffe...il lève les bras 20 vers les cieux...infortuné, fais ta prière !...

Un cri !...puis tout est dit... la tombe est fermée....

Cependant le danger le plus réel pour les coureurs des grèves est sur la mer.

Immense désert de sable, subitement la plaine devient 25 océan...les eaux retirées à une distance de plusieurs lieues se précipitent à l'heure du flux dans ces espaces sans limites. Le flot s'avance en mugissant, inexorable. Malheur à l'imprudent attardé ! Quand il veut fuir, il n'en est plus temps. La mer écume et se gonfle, la 30 vague s'entasse sur la vague, le sol s'évanouit ! La mer frappe, étourdit, brise le malheureux voyageur, entraîne son cadavre et le jette au pied de quelque falaise ignorée."

Le Mont Saint-Michel. II. Le guide.

Peu de voyageurs font à pied de nos jours, le trajet au mont. Nous nous rendîmes à Genêt, le dernier village de la Normandie, où deux forts chevaux nous attendaient. Un cocher, homme d'expérience, qui fait le trajet depuis 5 vingt ou trente ans, nous attendait également. Nous montâmes en voiture et bientôt les chevaux attelés en flèche s'élancèrent sur la grève.

10 La voiture était solide, ses deux roues étaient extrêmement hautes. Elles ne s'enfonçaient pas beaucoup dans le 15 sable, malgré notre poids, celui du cocher, et celui de deux Parisiens venus avec nous au village de 20 Genêt.

A Mont Saint-Michel.
Attelage en flèche transportant les voyageurs au monastere.

Nous étions à causer quand mon ami attira mon attention sur un homme armé d'une espèce de bâton, qui nous précédait nu-pieds, en courant.

"Quel est cet individu ? dit-il.

25 — C'est le guide des grèves, dit notre cocher. Regardez, je suis cet homme partout où il m'indique le chemin. Les sables se déplacent continuellement, la route change de jour en jour, cet homme m'indique les endroits dangereux. Au moyen de son bâton, il creuse un peu de 30 terre qu'il jette le long du chemin. Je suis ces pelletées de sable, je ne cours aucun risque. Malheur à nous si je m'aventurais à droite ou à gauche !"

Nous traversions en ce moment des cours d'eau qui étaient comme des rivières. Nous nous en étonnions.

" En effet, continua le cocher, ce sont des rivières, qui viennent ici se jeter dans la mer. Elles aussi se déplacent avec les sables." 5

Notre guide s'était arrêté au bord de la rivière la plus profonde. Il avait relevé son pantalon et était entré dans l'eau. Il s'avançait prudemment et bientôt l'eau lui vint jusqu'aux genoux. Je remarquai que mon ami observait avec le plus grand intérêt les roues de la voiture. 10

" Y a-t-il quelque chose ? lui dis-je.

— Au contraire, je vois avec plaisir que les roues sont hautes. Notre guide a déjà de l'eau au-dessus des genoux, et nous n'avons pas même traversé le fleuve à moitié. 15

— Nous avons un guide qui est bien sûr, dit le cocher. Nous pouvons avoir toute confiance en lui. Il fait ce voyage presque tous les jours, été et hiver. Rien ne l'arrête, ni la chaleur ni le froid. C'est un homme extraordinaire et il est fier de ses longues années de 20 service.

— Mais supposons que par hasard nous nous aventurions sur une des lises !

— Il y aurait toujours une bonne chance de nous sauver. La vitesse des chevaux nous permettrait de 25 passer, mais il y aurait naturellement grand danger à nous arrêter." Il donna un coup de fouet à ses chevaux, nous traversâmes rapidement le fleuve et quelques minutes après nous voilà arrivés au pied de la montagne.

Le Mont Saint-Michel. III. La ville et le monastère.

Le mont est une vaste roche de granit. Les habitants 30 ont enlevé aux flancs de ce rocher les grosses pierres

avec lesquelles ils ont construit leurs maisons. Les
moines y ont trouvé les immenses blocs de granit qui
forment les murs de leur monastère et de leur superbe
église. Les mêmes carrières ont fourni aux chevaliers
5 du monastère les remparts de la ville.

L'origine de tous ces travaux se perd dans la nuit des
siècles, nous sommes heureux que le temps ait épargné
les travaux des moines et des habitants du Mont Saint-
Michel.

10　"Regardez, dit mon ami, cette œuvre extraordinaire :
d'abord ce mur d'enceinte, haut de trente pieds et aussi
solide aujourd'hui qu'il l'était il y a des siècles. Plus
haut, toutes ces maisons grises comme le flanc de la montagne sur laquelle elles sont assises. Plus haut encore,
15 ce magnifique monastère dont la simple beauté égale la
solidité et au-dessus de tout, cette église dont la flèche
touche le ciel.

— Je n'ai jamais vu de paysage aussi frappant. Je
n'oublierai jamais l'immensité de cette grève, la beauté
20 de cette montagne. Je parlerai longtemps à mes amis
de mon voyage au Mont Saint-Michel."

Nous étions entrés par la porte unique qui donne accès
à la ville. Nous nous trouvions dans des rues étroites,
pavées de gros blocs de granit. Les maisons, elles aussi
25 de ce même granit, pourront servir d'habitations humaines
dans dix mille ans. Les portes et les fenêtres sont
encadrées de longs blocs de pierre que les siècles ne
peuvent entamer. Un hôtel moderne s'étend comme une
plaie de couleurs sur ce fond gris harmonieux et jure
30 avec les constructions antiques. Pourquoi le gouvernement a-t-il permis cette abomination dans ces lieux artistiques ?

"Il ne serait pas difficile, continua mon ami, de nous

ımaginer aux temps anciens des moines et des chevaliers
qui possédaient la ville et le monastère. Regardez ces
remparts dont les créneaux sont restés intacts. Ici
venaient se promener les sentinelles qui veillaient nuit
et jour sur la grève immense. Nul ennemi n'eût pu 5
s'approcher. Un mot ou un cri d'alarme, et les moines-
chevaliers se seraient élancés sur ces murs pour défendre
leur ville. Inutile de dresser des échelles contre ces
remparts! Les braves défenseurs auraient rejeté les
assaillants à mesure qu'ils se seraient présentés au com- 10
bat. Je comprends maintenant pourquoi cet endroit n'a
jamais été pris.

—Il ne faut pas oublier que la mer était amie de ce
monastère. Deux fois par jour, elle venait livrer assaut
aux ennemis qui essayaient de s'établir sur ces sables 15
dangereux. Un jour, Montgomery, chef des Huguenots
s'avisa de réduire cette forteresse. Après deux années
d'efforts inouïs il fut obligé d'abandonner la tâche impossible. Ses chevaux et ses canons s'enfoncèrent dans les
sables de la grève, les attaques de son infanterie furent 20
repoussées par les braves chevaliers. L'assaut fut héroïque, la résistance superbe!

—On dit qu'en un jour, il perdit deux mille hommes
qui s'étaient avancés sous les murs et qui n'avaient pu se
retirer avant le retour de la mer. La marée montante les 25
avait enlevés comme autant de grains de sable."

Le Mont Saint-Michel. IV. Le monastère.

Un garde en costume bleu nous servit de guide dans
cette abbaye historique. C'était un gros homme, à la
voix dure, qui récitait ses explications comme une leçon
apprise par cœur. Sa familiarité avec les lieux l'avait 30
rendu indifférent à leur beauté. Un touriste, pour lui,

était un homme qui lui valait un pourboire. Comme
j'aurais voulu voir apparaître un des anciens chevaliers
au casque étincelant, au manteau écarlate, à l'épée son-
nante! Ou un moine en habit blanc ou noir, aux yeux
5 d'ascète! Ces gens-là nous auraient parlé de ces monuments avec amour, avec orgueil! Que voulez-vous! les
temps ont changé, et nous étions obligés d'écouter le
récit monotone de ce phonographe en redingote bleue,
en chapeau napoléonien!

10   Nous nous arrêtâmes d'abord dans la salle des chevaliers, appartement dont la beauté frappe même ceux qui
ne se connaissent pas en architecture. La salle est profonde, sa voûte repose sur des colonnes gothiques admirablement proportionnées. Une lumière mystérieuse
15 tombe à travers les fenêtres modestes. C'est ici que les
chevaliers venaient raconter leurs faits d'armes à leurs
compagnons, c'est ici qu'ils s'assemblaient au coin du
feu pour entendre la chanson d'un troubadour, c'est ici
qu'ils recevaient leurs ordres pour défendre la foi et la
20 patrie....

Nous arrivons à l'église. Nous sommes au sommet de
la montagne. Tout est tranquille dans l'édifice et nous
pouvons à peine entendre la mer qui se brise là-bas sur
les sables.

25   Un vieux Français qui se trouvait à côté de nous, dit:
"Les chevaliers de l'ordre devaient défendre la ville; les
prêtres ne pouvaient pas prendre part à la guerre. Ils
venaient s'assembler ici avec les femmes, les enfants et
les vieillards du village. Ils priaient pour la victoire.
30 Cette église a entendu souvent les prières des habitants
de cette montagne, elle n'a jamais entendu les cris de
triomphe de l'ennemi. Jamais roi ni capitaine n'y a mis
le pied en conquérant."

« Qu'est-ce que c'est que cela ? demandai-je à notre guide en lui montrant des bassins de marbre qui avaient la forme de pieds.

— Nous sommes arrivés, dit-il, à la porte du réfectoire. Les moines et les chevaliers, avant de se mettre à table, 5 venaient ici se laver les pieds dans ces bassins, ensuite la tête et les mains dans d'autres bassins ronds.

— C'est plus que nous ne faisons aujourd'hui ! dit mon ami.... »

Plus loin, nous vîmes de petits appartements dans les- 10 quels un homme pouvait à peine se retourner. C'étaient les prisons du monastère. Les abbés de ces lieux avaient droit de vie et de mort sur leurs sujets et malheur à l'homme qui était enseveli dans ces tombes vivantes ! On ne s'échappait pas de ces cellules. Un jour, un 15 prisonnier réussit à sortir, hélas ! il ne recouvra pas la liberté. Il se trouvait au haut d'un parapet. Il risqua un saut périlleux et alla s'abattre sur les rochers au-dessous de lui. On le retrouva mort.

Mais si le monastère avait sa prison, il avait aussi son 20 aumônerie, car les moines avaient le cœur charitable, la main large. Chaque jour, les pauvres venaient se presser en ligne à la porte de l'aumônerie. Un moine leur remplissait les mains de vivres. Nul étranger ne venait frapper à cette porte sans recevoir un morceau de pain 25 ou une écuelle de soupe.

« Où sont donc tous ces moines et ces chevaliers ? demanda mon ami.

— Ils sont partis au temps de la Révolution et ne sont jamais revenus. »   30

EN BRETAGNE

Le pays et ses habitants.

"Il me semble, dit mon ami, qu'il y a peu de différence entre la Bretagne et la Normandie.

— Il y a une certaine ressemblance entre les deux pays, répondis-je. Cependant, je puis voir qu'il y a une diffé-
5 rence très grande. Prenez par exemple ces fermes : les maisons sont disposées d'une façon qui ne ressemble pas à la manière de bâtir des Normands. Les maisons sont disposées autour
10 d'une cour. Les murs sont unis et les bois de charpente qui distinguent l'achitecture normande ont disparu.
15 Nous ne voyons plus de chaume, les toits sont couverts d'ardoises ou de tuiles.

Chaumière.

— Oui, mais les ani-
20 maux sont encore sous le même toit que les paysans. C'est tout juste comme en Normandie.

— Vous avez parfaitement raison, répondis-je. Il faut cependant remarquer que les petits jardins devant les
25 maisons sont plus rares. Ne trouvez-vous pas aussi, qu'il y a une différence entre les Bretons et les Normands ?

— Oui, les Normands sont grands, les Bretons sont de taille moyenne. Je vois qu'ils sont bien bâtis, ce sont des gaillards solides."

30 Un monsieur très charmant était venu nous rejoindre.

Nous marchions ensemble le long du chemin. Il nous
parlait de la Bretagne avec tout l'amour que porte à la
patrie cette race forte.

" Les Bretons sont renommés pour leur industrie, pour
leur vie simple, pour leur économie. Ils travaillent dur, 5
ils ne gaspillent rien. Cependant, ils sont généreux et
ils ne refusent l'aumône à personne qui vient frapper à
leurs portes. Les Bretons sont à une grande distance de
Paris, ils n'ont pas subi, comme les Normands, l'influence
de la capitale. Ils ont retenu leurs coutumes anciennes, 10
même leur langue.

En Bretagne.

—Ils ne parlent donc pas français ?

—Mais si ! Les gens apprennent le français à l'école,
tout juste comme vous apprenez le français dans vos
écoles américaines. Chez eux, ils parlent une langue qui
5 est absolument différente de la langue française."

A ce moment une bande de jeunes filles passa. Comme
c'était le dimanche, elles portaient leurs meilleurs habits,
et elles étaient jolies dans leurs grands costumes de soie
noire, dans leurs tabliers de velours. Leurs têtes étaient
10 ornées d'une petite coiffe blanche. La fraîcheur du climat leur avait donné un air de santé robuste, leurs yeux
jetaient mille éclairs, et leurs dents étaient comme deux
rangées de perles. Elles avaient la beauté de la jeunesse
et de la santé.

15 "Ces jeunes filles, dit notre compagnon, sont différentes de celles de Paris. Elles n'ont pas leur beauté
statuesque, mais elles ont la fraîcheur de la rose, de
la pomme et de la cerise. Leurs yeux reflètent l'éclat
de leur beau soleil de Bretagne. Elles vivent au grand
20 air, ce sont des créatures de l'air, du soleil et de la
brise."

L'amour s'en vient, l'amour s'en va. . . .

Notre nouveau compagnon de voyage nous accompagna
jusqu'à Guingamp. Nous descendîmes tous au même hôtel
et nous continuâmes à parler des coutumes bretonnes.

25 "Vous avez remarqué, messieurs, dit-il, une certaine
rue dans cette ville où des garçons et des filles se prome-
naient en groupes. Les filles allaient et venaient dans
la rue et tenaient à la main des parapluies.

—Oui, et il n'y avait pas le moindre signe de pluie.
30 Le soleil brillait de tout son éclat.

—Parfaitement ! Eh bien, ces jeunes filles portaient

ces parapluies, non pas pour se garantir de la pluie,
mais en signe de leur désir de se marier.

— Des parapluies ?

— Oui, messieurs ! les jeunes gens du voisinage qui
étaient venus à la fête de Guingamp, comprenaient par- 5
faitement que les jeunes filles étaient prêtes à se choisir
un jeune fiancé. Ils passaient en revue les groupes des
jeunes demoiselles et s'ils en trouvaient une à leur goût,
ils allaient lui demander la permission de porter son
parapluie. C'était comme une déclaration d'amour. Si 10
la jeune fille lui donnait la permission, elle le reconnais-
sait publiquement pour son amoureux. Si au contraire,
elle la lui refusait, le pauvre malheureux devait aller se
consoler ailleurs.

— En ce cas, dit mon ami, l'amour s'en vient vite en 15
Bretagne...

— Pas du tout ! il faut que je vous dise que les deux
jeunes gens se connaissent depuis longtemps avant
d'échanger des parapluies. Peut-être ont-ils gardé le
secret de leur amour, qu'ils ont maintenant avoué pu- 20
bliquement.... Et chez vous, aux Etats-Unis ?

— Chaque pays a ses coutumes : dans quelques villages
en Amérique, le jeune homme accompagne la jeune fille
à l'église un dimanche matin. Ce qui constitue un acte
public de fiançailles, répondit mon ami. 25

— Je comprends maintenant, dis-je, pourquoi ces jeunes
gens étaient si heureux de porter ces parapluies immenses.
Je n'en ai jamais vu de plus grands ni de plus verts.

— Ces parapluies ont servi à leurs pères et à leurs
grands-pères. Ils pourront encore servir à deux ou trois 30
générations.... Après tout, ce parapluie n'est-il pas un
symbole de l'amour qui protégera les jeunes mariés contre
les intempéries de la vie ? "

Le Pardon de Guingamp.

Le " Pardon " est la fête religieuse de la Bretagne.
Des pèlerins y affluent de tous les coins du pays et parfois
la foule est immense. A cette occasion, les Bretons et
Bretonnes portent leur costume national, ce qui donne à
5 ces fêtes un charme tout à fait spécial.

Les hommes portent des habits noirs, comme les
femmes. Ils se coiffent de chapeaux plats à grands bords,
ils portent des culottes qui leur viennent jusqu'aux
genoux. Les femmes se vêtent de costumes de soie et
10 de velours. Un bout de dentelle relève la couleur sombre
de ces habits. Sur ce fond modeste se détachent les
yeux bleus, les figures roses des jeunes filles.

Les pèlerins commencent à arriver dès l'aurore. Ils
viennent en longues processions des villages voisins. Ils
15 portent des bannières brodées, et ils marchent en chantant des cantiques ou en priant. Mais le spectacle le plus
imposant se produit lorsque la grande procession parcourt
la ville.

Le gros bourdon donne le signal du départ et, par la
20 grande porte de l'église, défile un long cortège d'hommes,
de femmes, d'enfants. Les filles sont vêtues de blanc,
les hommes et les femmes de costumes noirs. Les bannières flottent au vent, les statues que les hommes portent
sur les épaules, semblent d'or sous le beau soleil de
25 Bretagne. Le long des rues, les habitants ont arboré les
couleurs nationales, le drapeau de France se déploie à la
brise.

Tous ces hommes et tous ces enfants prient : parfois
un cantique se fait entendre et nous songeons aux voix
30 calmes des sœurs et des novices qui chantaient ces mêmes
hymnes en mer.

Un beau vieillard passe : ses cheveux sont blancs

comme la neige, mais ses joues sont roses comme celles
d'un enfant. Il porte un drapeau bleu dont les grands
plis de soie viennent tomber sur sa tête vénérable. Il ne
regarde ni à droite ni à gauche : son œil semble perdu
dans l'immensité. Il prie, mais il prie en silence....   5

"Quel est ce beau Breton ? demandons-nous à notre
ami.

— Un fermier des environs, un homme que toute la
ville aime et respecte. Depuis des années, il porte cette
même bannière dans la procession. Il la portera jusqu'au 10
jour où il ne pourra plus marcher. Il aime cette bannière, il l'aime comme il aime son ciel bleu de Bretagne...."

Histoire d'un portrait.

La procession était depuis longtemps retournée à
l'église. La fête religieuse avait fait place à la fête 15
profane et les paysans et
les paysannes causaient,
riaient, échangeaient
leurs formidables para-
pluies. Mon ami, qui 20
aime le pittoresque, se
tourna soudainement vers
moi :

"Il nous faudra faire
le portrait de ces jeunes 25
filles, dit-il. Nos amis
américains seront con-
tents de le voir. En
voici deux en compagnie
d'un monsieur.   30

—Eh bien ! Je leur de-

Bretonnes.

manderai la permission de leur faire leur portrait.
Heureusement, elles ne sont pas armées de parapluies ! ”

La tâche n'était pas facile. D'abord, notre homme comprenait mal le français et les jeunes demoiselles ne le
5 savaient pas plus que les habitants des îles Fidgi.

“ Ces demoiselles nous permettront-elles de leur faire
leur portrait ? Nous serons enchantés de leur en envoyer
un aussitôt qu'il sera terminé.

— Combien cela va-t-il nous coûter ?

10 — Absolument rien ! Dites à ces demoiselles qu'elles
ne devront pas payer un sou, ni vous non plus.”

Le monsieur nous regarda avec étonnement, les jeunes
demoiselles avaient l'air timides comme des colombes.
Elles regardaient avec méfiance cet instrument noir que
15 mon compagnon de voyage apprêtait. L'homme dit
quelques mots aux jeunes femmes dans un dialecte musical, mais que nous ne pouvions pas plus comprendre
qu'elles ne comprenaient notre français. Un sourire nous
fit entendre qu'elles ne se refusaient pas. Elles posèrent.
20 “ Dites-leur de sourire ! ” dit mon ami.

Les pauvres enfants avaient pris cet air impossible
que nous prenons tous, quand nous posons.

— Inutile ! lui répondis-je, prenez-les comme elles sont !
Elles sont sérieuses parce qu'elles sont naturellement
25 réservées.”

Un bruit sec : le portrait était pris. Elles comprirent
et un gracieux sourire apparut sur leurs lèvres.

“ Si elles avaient eu cette expression quand je les
prenais, s'écria mon ami, j'aurais eu un portrait bien
30 différent ! ”

Les jeunes femmes murmurèrent quelques mots de
remerciement, l'homme nous donna son adresse. Nous
continuâmes notre chemin.

A la foire.

Au troisième canto de *L'Enfer* le grand poète italien, le Dante, raconte comment les damnés font un bruit épouvantable dans les régions infernales. Dante avait assisté à une foire française ! Nous n'avons jamais entendu un tintamarre plus horrible que celui de la foire 5 de Guingamp. Figurez-vous une place publique pas trop grande, sur laquelle une dizaine d'orgues de barbarie, que tournaient des moteurs à pétrole, criaillaient une musique interminable. Des valses par ici, des polkas par là, des mazurkas d'un autre côté, et tout cela se mêlait à écor- 10 cher les oreilles. Les Bretons qui sont habitués aux ouragans et à la tempête, n'y prenaient pas garde. Au contraire, ils semblaient parfaitement heureux. Plus ces affreuses machines faisaient de bruit, plus ils riaient ! 15

" Enfin dit mon ami, qui était de bonne humeur comme la foule, nous ne sommes pas venus ici pour entendre *Faust* ou *Il Trovatore*. Si ces braves Bretons peuvent supporter ce tapage infernal, nous nous laisserons aussi écorcher les oreilles. Dans quelques jours nous se- 20 rons dans les Pyrénées, le silence des montagnes nous guérira ! "

Nous nous arrêtons devant une baraque où deux jeunes sœurs exécutent une danse impossible au son d'une trompette asthmatique. Les pauvres enfants sont bien 25 au-dessus de la foule, sur une plate-forme qui permet aux paysans de suivre leurs mouvements. Un homme habillé en " clown," armé d'un fouet se tient près d'elles et invite la foule à entrer, tandis que les fillettes dansent et que la trompette émet des tristes sons. 30

La danse cesse : les jeunes filles se balancent une dernière fois sur la pointe des pieds, rejettent la tête

en arrière, sourient et envoient un baiser aux paysans
étonnés.   Le clown dont la figure est blanchie à la
farine ouvre une large bouche rouge : il ressemble à un
spectre et son rire fait mal !

5   " Entrez, messieurs et mesdames ! dit-il.   Entrez
toujours !   Nous allons commencer la représentation :
quatre sous !   Vingt centimes ! "

Il continue à parler et à rire.   La trompette se remet à
jeter des sons lugubres, mais les jeunes filles ne dansent
10 plus.   Elles rentrent dans la baraque, les paysans les
suivent.   La représentation va commencer....

Merveilles foraines.

Les malheureux Grecs ne connaissaient que sept merveilles : ils moururent longtemps avant l'apparition de la
foire française !   Pour les prix modestes de dix ou de
15 vingt centimes nous avons pu voir, admirer des choses
que les habitants d'Athènes et de Sparte n'ont jamais
vues.   Il faut avouer que ce n'étaient pas des merveilles
d'architecture, mais après tout, les merveilles de la zoologie ne sont-elles pas intéressantes ?   Je pris mon
20 carnet et j'écrivis :

" Vache à cinq jambes. — Cheval à 4 pieds dont un de
bœuf. — Chien à deux pattes, celles de devant manquent.
— Mouton à cou tordu.   A toujours le museau en l'air. —
Buffle sauvage.   Animal dangereux des régions afri-
25 caines."

J'étais occupé à copier la liste de ces merveilles lorsque
tout à coup mon ami s'écria : " Grand Dieu ! regardez là ! "

Je vis en effet une scène terrible.   Un tableau suspendu
30 au haut d'une baraque représentait un enfant de six ou
sept ans aux prises avec un rat énorme.   Le monstre lui

mordait la jambe et l'enfant s'efforçait en vain de se
défaire de son assaillant. Dans la lutte, la fille, — c'était
une petite fille, — avait perdu au moins vingt ou trente
litres de sang. Une immense tache de ce liquide rouge
couvrait tout le bas du tableau. Cette scène fit une pro- 5
fonde impression sur nos esprits. Nous avions jadis
versé des larmes sur le sort de Laocoon et de ses fils.
Ces malheureux sont morts longtemps avant notre
époque, tandis que cet enfant était un être contemporain,
un petit enfant de Paris! Nous n'avons pas des cœurs 10
de marbre, par conséquent nous nous approchâmes. Une
inscription nous donnait quelques détails sur cette scène
pitoyable. L'enfant avait été attaqué par des rats
d'égouts. A l'intérieur de la baraque on pouvait encore
voir deux de ces monstres : 15

> " Rats d'égouts monstres,
>   Capturés au Châtelet de Paris,
>   Pesant le poids de 18 livres."

" Cela vaut la peine d'être vu," dis-je à mon ami.

Nous vîmes un rat, le plus grand qui ait jamais été en 20
captivité! Il était dans une cage avec un autre rat tout
aussi monstrueux, tout aussi repoussant. Les deux monstres pesaient certainement vingt livres. Ils mangeaient
du maïs et allaient de temps en temps se baigner dans un
petit bassin d'eau qui se trouvait dans la cage. Un ani- 25
mal pareil aurait été dangereux même pour un homme.

Il y avait encore dans la même baraque " Le Favori
des Dames, l'Opossum vivant, recherché pour sa fourrure " et un " Vampire Noir des Forêts-Vierges de l'Inde
(très rare) Terreur des Explorateurs, Sa Piqûre est 30
mortelle."

Nous sortîmes et nous nous promenâmes encore un peu

sur la place de la foire. Des enfants et des adultes rem-
plissaient les carrousels et criaient et chantaient, montés
sur des chevaux ou sur des lions flamboyants. Le bruit
n'avait pas encore cessé. Déjà la nuit tombait et les pay-
5 sans commençaient à retourner à la campagne. Nous nous
acheminâmes vers notre hôtel, mon compagnon songeait.

"A quoi pensez-vous, dis-je.

— A tous ces paysans et à toutes ces paysannes,
répondit-il. Il me semble que ces Bretons sont peu
10 différents des Américains. Comme chez nous aux Etats-
Unis, il leur faut du bruit et des amusements violents .
pour se distraire."

La bénédiction de la mer.

" C'est dommage, dit notre ami breton, que vous ne
soyez pas venus ici au printemps pour assister au départ .
15 des pêcheurs. Vous savez que les Bretons vont à la
pêche en Islande et même sur les côtes de votre pays sur
les bancs de Terre-Neuve.

— Le départ de la flotte vaut une visite. Vous avez remarqué que les Bretons sont un peuple croyant. Donc
20 avant de se mettre en mer, ils implorent la bénédiction
de Dieu sur leur voyage. La scène est imposante.
Tous les bateaux sont appareillés, les pêcheurs sont prêts
à partir. Ils viennent en une longue procession accom-
pagnés de leurs femmes et de leurs enfants. Ils se
25 groupent sur la plage et attendent la venue du prêtre
qui viendra bénir la mer. Tout à coup le silence se fait,
le vieux curé de la paroisse s'avance : la foule tombe à
genoux. Le noble vieillard lève les mains et implore la
bénédiction de Dieu sur ces gens qui vont partir.

30 — Que la mer leur soit calme ! Que les vents leur
soient propices ! Que Dieu les ramène à leurs foyers !

— Le vieillard se retire. Les hommes prennent une dernière fois les enfants dans les bras. Ils donnent un dernier baiser à leurs femmes, ils leur souhaitent un dernier au revoir.

— Puis les voiles se hissent, elles se remplissent de vent. 5 Les bateaux tremblent un moment, puis ils se mettent doucement en mouvement. Peu à peu ils gagnent en vitesse... maintenant ils volent sur la mer comme de grands oiseaux blancs... ils disparaissent.

— Sur le bord de la mer, quelques femmes prient encore 10 en silence : chaque année quelques-uns des marins ne reviennent pas...."

Assistance aux pêcheurs.

Les pêcheurs ne sont pas abandonnés en mer. Le gouvernement a organisé un excellent service d'assistance aux pêcheurs. " La Dépêche de Brest " du 3 juillet, 1914, 15 donne les nouvelles suivantes :

" A Terre-Neuve.

Le navire-hôpital Sainte-Jehanne qui, après avoir charbonné à North-Sydney (Cap Breton) avait quitté le port le 14 juin pour sa seconde croisière sur les bancs de Terre-Neuve, est entré ainsi que nous l'avons annoncé, à 20 Saint-Pierre, le 29 juin, après avoir parcouru les lieux de pêche pendant quinze jours, durant lesquels il a communiqué avec 200 navires, donnant une centaine de consultations, distribuant 7,500 lettres.

En rentrant à Saint-Pierre il a déposé dix malades 25 recueillis en mer, à l'hôpital de Saint-Pierre, et remis à la poste 4,678 lettres reçues des pêcheurs pour leurs familles. Actuellement le navire-hôpital charbonne à North-Sydney : il retournera aussitôt sur les bancs."

"**En Islande.**

Le 'Notre-Dame de la Mer' se prépare à repartir
pour une nouvelle croisière, qui comprendra le tour complet de l'Islande par le Nord, si les glaces le permettent.

Le navire est arrivé le 15 juillet à Faskrudfjord, de
5 retour de sa croisière dans la mer du Nord, où son passage à Aberdeen a été marqué par une imposante manifestation en faveur des œuvres de la mer.

En entrant en Islande, le navire-hôpital a donné assistance à 48 bâtiments pêcheurs, à bord desquels 19 malades
10 ont reçu les soins du docteur. 344 lettres ont été dis-
tribuées aux équipages qui en ont remis 188, destinées à
la France."

AU PAYS DES CHATEAUX

Au château de Blois. I.

Il pleuvait à verse quand nous arrivâmes à la porte
d'entrée du château de Blois. Nous fûmes obligés de
15 nous abriter sous la porte-cochère en attendant que les
nuages se dispersassent. Nous nous trouvions à un endroit des plus célèbres de la France, car nous étions à
l'entrée du palais de Cathérine de Médicis, de François Ier,
de Henri III. Les mœurs en ces jours-là n'étaient pas
20 comme les nôtres. Henri III, par exemple, ne se fit aucun
scrupule d'assassiner son cousin le duc de Guise, qu'il
croyait plus aimé du peuple français que lui-même. Il
fit tuer en même temps le frère du duc, le cardinal de
Lorraine, un vieillard inoffensif. Tous ces gens avaient
25 passé sous cette porte, tous avaient foulé ces pavés, leurs
voix avaient retenti sous cette voûte. Tous les auteurs
et tous les acteurs de ces drames historiques avaient
disparu. Un guide assez bien renseigné, raconte leur
histoire aux touristes.

Château de Blois. (Intérieur de la cour.)

Comme à Versailles, les rois avaient fait place à des
voyageurs venus des quatre coins du monde. Nous autres
Américains, nous étions les bienvenus autant que les
Français eux-mêmes. Donc, au moment où la pluie cessa
nous frappâmes à une petite porte.... Personne n'ouvrit. 5

"Il faut sans doute tirer la sonnette, dis-je à mon
compagnon. Nous avons oublié de sonner.

— J'entends quelqu'un qui arrive, dit-il." En effet, une
vieille femme vint ouvrir la porte. Elle nous introduisit
dans la salle d'attente, grand appartement froid, sans 10
ornements, sans meubles si ce n'est une ou deux tables
sur lesquelles s'étalaient les éternelles cartes-souvenirs.

"Messieurs, dit la dame, — qui semblait dater du temps
de tous ces rois disparus, mais dont l'accent moderne nous
rappela que c'était une personne contemporaine, — un 15
guide viendra dans quelques minutes vous montrer les
endroits intéressants du palais. En attendant, vous
pouvez vous promener dans la cour.

— Il fait beau maintenant, dit mon ami, allons-y."

La cour formait un carré tout pavé de pierres mouillées
qui étincelaient au soleil. Autour de ce carré s'élevaient
les bâtiments royaux. Chaque roi avait bâti en son style,
5 et ainsi il se fit qu'un certain Gaston d'Orléans avait détruit
une partie des chefs-d'œuvre de François et de Henri
pour les remplacer par des édifices affreux. La mort mit
fin à son vandalisme. On peut encore voir où ses
démolitions s'arrêtèrent et où son œuvre inartistique
10 commença.

Nous avions déjà parlé de toutes ces choses et nous
commencions à nous fatiguer. Nous allâmes nous asseoir
sur une immense pierre grise, vrai rocher que vingt
siècles ne pourraient détruire. Mon ami fumait mélan-
15 coliquement du tabac français dont la fumée exécrable
venait empester l'air. Il n'avait pas encore trouvé la
meilleure marque et il en était toujours à faire des expéri-
ences avec ces produits français. Il regrettait évidemment ses bons cigares américains.

20 J'étais assis à côté de lui, je contemplais ses efforts
héroïques. J'avais oublié Henri et François et j'admirais
le courage de mon ami, quand soudain une voix formidable
s'éleva! C'était la vénérable gardienne de ces lieux historiques qui criait!

25 "Levez-vous messieurs! vous êtes assis sur un des
monuments les plus remarquables de toute la France!...

— Pas possible! — s'écria mon ami, tout en se levant
et en secouant ses vêtements pour en faire tomber la
poussière monumentale. — Ce n'est pas possible!

30 — Mais si! Cette pierre provient de la vieille chambre
à coucher du duc....

— Ne continuez pas, madame! dit mon ami. Nous
sommes évidemment en faute. Mais il n'y avait aucun

autre siège dans la cour, et puis nous étions fatigués.
Pour rien au monde nous ne voudrions abîmer le moindre
monument, et certainement pas cette pierre unique!...

—Nous allons faire le tour, messieurs et mesdames!"
cria une autre voix. C'était le guide qui nous appelait. 5

Le château de Blois. II.

Nous étions donc au château de Catherine de Médicis,
de François Ier, des rois du XVIe siècle. La demeure est
vraiment royale et par bonheur le guide qui nous accompagnait, était un homme qui connaissait parfaitement
l'histoire du château. Il nous fit remarquer et apprécier 10
la beauté des appartements, leurs belles proportions, leur
luxe, leur intimité. Ces salles ne vous éblouissent pas
comme celles du palais de Versailles. Au contraire, vous
n'auriez pas hésité à vous asseoir dans ces appartements
et à vous y reposer. Des enfants auraient pu jouer sur 15
ces planchers, tout cela eût semblé naturel! Mais à Versailles!...

Cependant nous avions déjà vu tant de belles choses en
France, tant de monuments d'architecture, qu'à la fin les
explications du guide commençaient à me fatiguer. Un 20
détail attira mon attention. Je me rappelais que tous ces
rois et toutes ces reines avaient l'habitude de se choisir
un animal comme symbole de leur vertu préférée. Ainsi
François Ier, homme courageux, après plusieurs revers
sérieux choisit la salamandre. Cet animal a la réputa- 25
tion de vivre à l'aise au milieu des flammes, de ne pas se
brûler le moins du monde, et de vivre à jamais. François
aimait la salamandre et il mit des salamandres partout.
Il y avait des salamandres sur les murs, sur les cheminées, sur les portes, sur les escaliers, au haut des fenêtres, 30
au bas des colonnes. Son successeur qui admirait beau-

coup le porc-épic avait placé ces animaux partout où
François avait oublié de sculpter des salamandres.
C'était merveilleux ! Mon ami avait essayé de compter lesquels avaient la majorité, des salamandres ou des
5 porcs-épics. Il n'y réussit pas : l'arithmétique a ses
limites. . . .

Ces deux bons rois avaient presque complété leur
œuvre, et mis leurs emblèmes partout, quand la mort les
surprit et deux autres personnages célèbres purent mettre
10 par-ci par-là quelques autres animaux, dont le nombre est
insignifiant. Les salamandres et les porcs-épics sont en
majorité. . . .

Histoire d'un crime.

Le guide nous avait montré l'oratoire de Catherine de
Médicis, les lieux secrets où elle cachait ses poisons,
15 lorsqu'il prononça subitement ces mots :

"Voici la chambre à coucher de Henri III. C'est ici
que fut assassiné le fameux duc de Guise. Vous connaissez son histoire."

Immédiatement, nous commençâmes à écouter : le
20 sujet qui intéresse le plus l'homme, c'est l'homme lui-
même.

"Vous vous rappelez messieurs, continua-t-il, comme le
roi haïssait son cousin le duc. Il en était jaloux et l'in-
vita à lui rendre visite à Blois où il le reçut en grande
25 cérémonie. Dans son cœur il avait résolu de le faire
tuer.

— Après deux ou trois jours, le roi fit appeler son cousin.
Lorsque celui-ci monta l'escalier d'honneur que vous avez
vu dans la cour, un hallebardier lui donna secrètement un
30 morceau de papier sur lequel se trouvaient ces mots :
"Fuyez, le roi a affaire à vous."

— Le duc de Guise ne s'arrêta point ; c'était un homme
dont le courage était à toute épreuve. Il se rendit aux
appartements du roi, mais lorsqu'il fut arrivé à l'entrée
du cabinet de travail du monarque, il fut frappé par
plusieurs amis du roi. Il se battit vaillamment mais ne 5
put résister au grand nombre, il alla mourir au pied du
lit de Henri. Celui-ci se réjouit de la mort de son adversaire et le lendemain fit tuer le frère du duc, le cardinal
de Lorraine, vieillard inoffensif. Les deux corps furent
brûlés dans la grande cheminée de la salle des gardes, 10
les cendres furent jetées à la Loire."

Ainsi parla le guide, nous écoutions en silence. Nous
regardâmes un moment le lieu du crime....

" A penny for your thoughts ! " dis-je en anglais à
mon ami....   15

" Cette histoire me fait penser, dit-il, que les rois
achetaient cher leur gloire, leurs palais, leur luxe. Je
préfère ma simple vie de citoyen américain à toute la
splendeur de ces cours. Ma maison, mon village me
suffisent. Il y a trop de drames qui se sont joués autour 20
du trône des rois. La royauté de ma maison me suffit...."

A bicyclette.

Deux messieurs et deux jeunes dames sont venus à
l'hôtel. Ils sont avec nous dans la salle à manger et ils
boivent avec nous l'eau fameuse de Blois. Ils essaient le 25
vin de l'hôtel, qu'ils trouvent formidablement aigre. Ils
s'adressent à nous pour nous demander si nous en avons
bu et nous voilà présentés sans cérémonie, mais présentés
tout de même.

La plus jeune des dames se mêle à la conversation des 30
hommes, elle parle si bien, que bientôt tous les hommes

La maison la plus ancienne de Rouen — Musée d'Antiquités.

se taisent, et lui laissent la parole.   Mon ami se permet
quelques interruptions.

"Nous sommes de Paris, dit-elle. . . .

— C'est ce que je croyais, interrompit mon ami, vos
5 manières élégantes. . . .

— Vous êtes Anglais ou Américains ?

— Américains, madame.

— Nous faisons le tour du pays à bicyclette.   Nos
maris, les messieurs que vous voyez, ont deux semaines de
10 vacances par an.   Ils aiment à se promener à bicyclette, nous aimons à les accompagner et comme les routes
du pays sont admirablement entretenues, nous passons les
vacances ensemble.   Nous voyons la campagne, nous
nous arrêtons où nous voulons, et au bout de quinze
15 jours nous retournons en ville.

— Combien de kilomètres faites-vous par jour, madame?

— Cela dépend du temps. En moyenne, nous en faisons une quarantaine....

— C'est beaucoup, madame!... 5

— Pas en France! Une personne qui est habituée à voyager à bicyclette peut parcourir des distances énormes. Avez-vous jamais entendu parler des excursions d'étudiants? Nous avons des professeurs qui font le tour de la France à bicyclette et qui vont jusqu'en Italie, ou en 10 Suisse ou même en Espagne.

— C'est une belle façon de voyager et de voir son pays.

— Et puis cela fait du bien à la santé. Je vois qu'il y a déjà beaucoup de professeurs qui viennent de l'Amérique 15 avec leurs élèves et qui voyagent comme nous. Nous en avons rencontré plusieurs et nous étions enchantés de la rencontre. Vos élèves américains avaient l'air solides, c'étaient de forts garçons. Ils semblaient heureux de se trouver en France.... 20

— Votre pays est si beau, madame, vous recevez les Américains avec tant de courtoisie que nous aimons à venir en France. Plus nous connaissons votre pays, plus nous l'aimons."

La jeune dame sourit, elle nous remercie du compli- 25 ment.

"Un jour vous reviendrez en France, dit son mari, vous apporterez des bicyclettes et peut-être ferons-nous le tour ensemble."

Nous nous serrons la main, puis la joyeuse compagnie 30 se lève. Les messieurs et les dames montent à bicyclette ... un petit coup de sonnette ... nos Parisiens ont disparu.

Le jardin de la France. I.

Il y avait une fois en France un roi qui s'appelait
Louis XI.   Or, il aimait beaucoup les poires, les pommes
et les cerises.... Comme tous ces fruits croissent mieux
à la campagne et que le bon roi en voulait une quantité
5 pour lui-même et pour sa cour, il fit venir le jardinier
royal et lui dit :

"Vous irez à Tours, qui est la capitale de la Touraine.
— Oui, sire !

— Vous m'y planterez un grand verger.
10   — Oui, sire !

— Vous y mettrez des pommiers, des poiriers et des
cerisiers.

— Oui, sire !

— Ensuite vous n'oublierez pas les fraises et les pêches
15 et les melons.

— Non, sire !

— Vous y planterez aussi des haricots, des pois et des
choux.

— Oui, sire !
20   —Nous appellerons mon verger : 'Le Jardin de la
France.' "

Le jardinier fit une profonde révérence, appela tous les
jardiniers subalternes, et s'en alla en Touraine, près de
Tours, dans le pays où Jules César avait passé. En ce
25 temps-là, les gens de ce pays s'appelaient les "Turones."

Or, Jules César avait déjà remarqué la beauté du paysage,
la fertilité des terres, la douceur du climat.

Le jardinier fit comme Jules César, il admira le pays
et le climat, il se mit à l'œuvre avec tous ses subalternes
30 et bientôt les paysans virent fleurir les plus beaux arbres
du monde.

Or, le jardinier leur dit que le nom du beau verger

était "le jardin de la France," que le roi l'avait ainsi
voulu.

Les paysans répondirent que le roi savait mieux que
personne, étant donné qu'eux ne voyageaient pas beaucoup. Toutes les fois qu'ils trouvèrent une pomme, ou 5
une poire ou une cerise, ils en gardèrent les pépins ou le

Vieille maison de ferme, Blois.

noyau qu'ils plantèrent. Bientôt le pays fut couvert de
beaux arbres et toute la Touraine reçut le nom de " Jardin
de la France." Jamais nom ne fut plus justement donné,
jamais nom ne fut plus mérité.   10

En nous promenant le long de la route nous arrivâmes
à une petite ferme entourée d'un mur. Nous pouvions
à peine voir les toits des maisons et des écuries.

"Je trouve la petite ferme toute pittoresque, me dit
mon ami. Je vais en prendre une photographie.   15

—Voici une vieille dame, lui dis-je, il faudra la prendre

aussi. Elle m'intéresse vivement avec sa coiffe blanche
et ses grands sabots....

—Nom de tonnerre! dit-il, est-ce possible ? Voilà, je
veux prendre cette femme et mon appareil n'est pas prêt.
5 Au dernier moment elle ouvrira la porte et elle entrera.
La voilà qui ouvre la porte... la voilà entrée et je ne suis
pas encore prêt... malheur!

—Prenez la ferme quand même! Elle est jolie, et puis
la vieille dame est à l'intérieur. Ce sera comme dans le
10 fameux tableau du passage de la Mer Rouge. On n'y
voyait qu'une toile blanche. La mer avait reculé, les
enfants d'Israël avaient passé à pied sec, les soldats de
Pharaon s'étaient laissé engloutir par les eaux...."

L'appareil cliqueta, l'instantané était fait, mais la dame
15 n'y paraît point!

Le jardin de la France. II.

Nous étions donc dans le jardin de la France. La
fertilité de ce pays dépasse tous les efforts de l'imagination
la plus féconde. Un
Américain habitué aux
20 grandes terres de son
pays s'étonne à la vue
de ces petits lambeaux
de terre divisés et sub-
divisés. Pas un pouce
25 ne se perd ; nous remarquons des champs de
blé, des vignes, dont la
largeur ne dépasse pas dix
pieds, dont la longueur
30 n'en a pas plus de cent.

" Un cheval pourrait à

Fagots entassés, destinés à chauffer
les chaumières des paysans
français.

peine s'y retourner, dit mon ami, tant ces champs sont
petits. Chez nous, on ne se donnerait pas même la peine
de les regarder. Ici, on les cultive avec un soin inouï;
vraiment ce pays est remarquable!

— Ces gens font de l'argent, lui dis-je. Vous rappelez-
vous l'épisode de la guerre de 1870? Bismarck avait
imposé à la France ses fameux milliards, il croyait que
jamais elle ne pourrait payer cette somme formidable.
En quelques mois les Allemands furent payés. L'argent
provenait de ces petites terres, les propriétaires ayant
pu fournir tout l'argent nécessaire au gouvernement
français. Ces petits champs expliquent la richesse
phénoménale de ce pays."

Un homme s'était approché, il avait entendu notre
conversation, nous le priâmes de s'arrêter et de nous
parler de son pays.

"Vous n'avez pas d'idée de la richesse du Jardin de la
France, dit-il. Voyez-vous ces terrains....

— A peu près cent acres en mesure américaine, dit mon
ami.

— Les propriétaires ont expédié cette année des
quantités incroyables d'asperges en Angleterre. J'étais
chargé de ces expéditions, j'ai payé les chèques; il y en
avait pour un demi-million de francs....

— Ces fermiers, continua-t-il, sont très économes. Vous
ne voyez pas de forêts dans ce pays, la place leur manque.
Pour se chauffer et pour cuire, les paysans ramassent les
branches des arbres et des vignes. Ils les sèchent, les
relient en fagots et les brûlent en hiver. Rien n'échappe
à l'œil de ces gens.

— Comment faites-vous pour labourer ces terres? dit
mon ami, ces fermes sont si petites qu'un cheval et une
charrue peuvent à peine s'y retourner.

— C'est là un désavantage, dit-il, et les paysans commencent à remédier à cet état de choses. Voyez-vous cette terre qui est plus grande que les autres ?

— Elle contient à peu près cinq acres, mesure américaine, dit mon ami qui se plaît aux mathématiques.

— En effet ! dit le Français, et c'est déjà un joli lopin pour notre pays. Cette terre appartient à un jeune homme de vingt-cinq ans. A la mort de son père, il trouva ses terres disséminées un peu partout; il se mit à échanger ses lopins avec ses voisins, et bientôt il eut acquis les terres que vous voyez. Inutile d'ajouter que cette propriété est extrêmement fertile.

— Et cultivée avec un soin incroyable, dit mon ami. Pas un seul pouce ne se perd dans ce pays d'économie et d'industrie. C'est vraiment remarquable."

A ce moment la pluie vint interrompre notre conversation. De grosses gouttes d'eau vinrent s'appliquer sur nos habits, nous fûmes obligés de nous dire un adieu rapide. Nous allâmes frapper à la porte d'une petite ferme. Une voix de femme nous cria d'entrer, nous entrâmes....

Au coin du feu.

La dame du logis vint au-devant de nous et sans la moindre hésitation nous pria de nous asseoir.

" Vous êtes trempés, messieurs, dit-elle, mettez-vous près du feu." Elle jeta quelques branches sèches sur les cendres et bientôt les flammes s'élancèrent dans la nuit de la cheminée, qui s'illumina de milliers de petites étoiles ; nous nous sentions heureux près de ce feu hospitalier.

La fermière vint s'asseoir près de nous, devant un grand brasier qu'elle remplit de charbons. Elle souffla sur la braise, et bientôt la braise brilla. Elle prit une

tranche de viande qui se trouvait près d'elle sur une
assiette et l'étendit sur les charbons ardents. Une odeur
suave se répandit dans la chambre et vint flatter nos
narines. Malheureux mortels! nous venions de faire
un dîner que notre maître d'hôtel de Blois nous avait 5
préparé avant notre départ!...

L'appartement où nous nous trouvions était une large
pièce qui, comme nous l'avons dit, servait de cuisine.
Une table mise comme pour le souper nous fit comprendre
que nous étions en même temps dans la salle à manger, 10
tandis qu'un lit qui remplissait un coin de la salle à
manger nous fit comprendre que nous nous trouvions en
outre dans la chambre à coucher. Vie simple de ces
paysans! De la table au lit, il n'y a qu'un pas!... Et
nous autres Américains qui avons besoin de tant d'ap- 15
partements! Que nous sommes loin de la simplicité de
nos ancêtres!

Pendant que je songeais à la différence qui existe entre
nos maisons de campagne et celle de cette fermière, je
trouvai cependant un détail que cette cuisine, cette salle 20
à manger, cette chambre à coucher, cette salle de réception
avait de commun avec nos appartements américains. Je
vis sur la cheminée les portraits des membres de la
famille, portraits aux mêmes regards effarés, aux mêmes
poses impossibles.... Photographie, que de crimes com- 25
mis en ton nom!

"Il y a beaucoup d'étrangers, dit-elle, qui viennent ici
nous faire visite. L'année dernière, il est venu un
Anglais qui ne comprenait pas un mot de français, moi
je ne comprends pas l'anglais. Il est vrai que j'ai 30
été servante à Paris, mais j'avais très peu de chance
d'apprendre votre langue. Je connaissais quelques mots
mais je les ai tous oubliés.... Ce brave homme d'Anglais

s'arrêta donc et me fit voir sa bicyclette ; il me dit en
anglais quelque chose que je ne compris pas plus que la
langue des Malais.   Il parla à haute voix, je lui répondis
en criant, espérant que le bruit de ma voix lui ferait
5 comprendre.   Pourquoi tout le genre humain ne parle-t-il
pas la même langue, messieurs ?

    " Il ne me comprenait pas et moi je ne le comprenais
pas non plus.   Il continua à me montrer sa bicyclette....
Je lui apportai tous les outils que je possédais ; que voulez-
10 vous, messieurs, je ne me connaissais pas à ces choses-là,
je ne suis jamais montée à bicyclette de ma vie.... "

    Je pouvais comprendre que la dernière phrase expri-
mait un fait indéniable : la bonne femme était énorme.
De tels poids se transportent en charrette.

15   " Enfin notre Anglais se mit à cogner, cogner du bras.
...Je compris, je lui apportai un marteau.   Ce n'était pas
encore ce qu'il lui fallait, cependant il semblait en être
satisfait.   Il travailla un peu à sa machine et après quelques minutes il put se remettre en marche.

20   " Avant de partir, il voulut m'offrir un franc....

    —Et vous avez accepté ? "

    La brave dame se dressa fière comme une déesse et
tournant la viande d'un coup de main rapide :

    " Eh non, messieurs ! je n'acceptai pas.   J'admirai
25 sa générosité, j'avais besoin de son argent peut-être, car je
suis pauvre, mais, messieurs, ne suis-je pas Française ? "

Chambord.

    Le jardin de la France est en même temps le pays des
châteaux.   Cela se comprend facilement ; une fois que ce
fameux jardinier de Louis XI eut planté le fameux verger
30 du roi, le roi et ses amis quittèrent Paris pour venir eux-
mêmes cueillir les fruits.   Et comme tous ces gens étaient

riches, ils ne pouvaient se contenter de demeurer dans
les masures des paysans et ils se bâtirent des
châteaux.

Or, les nobles étaient légion, par conséquent il y a des
châteaux partout.   Il y en a au milieu des belles prairies, 5
aux bords des fleuves, sur les sommets des collines, enfin

partout où il y a assez
de place pour bâtir un
château. L'arithmétique
s'y perd comme aux 10
salamandres de François
Ier. Un voyageur qui
voudrait voir tous ces
châteaux n'en finirait
pas, dût-il vivre aussi 15
longtemps que Mathusa-
lem. Même de nos jours,
les Français continuent
à bâtir des châteaux.

Les approches du Château de
Chambord.

Ils en ont la manie, c'est 20
comme la manie des club-houses en Amérique. Chez
nous chaque village veut une pelouse où les malheureux
bourgeois vont passer des heures à s'acharner contre une
balle de " golf."

Il y a donc des châteaux partout, des châteaux simples 25
et des châteaux de grande prétention ; des châteaux de
millionnaires et des châteaux de rentiers.   Inutile de dire
que le roi avait le plus beau château ! C'est pourquoi
nous ne nous arrêtâmes nullement aux châteaux ordinaires, nous voulions voir la demeure royale.   Nous nous 30
rendîmes au château de Chambord....

Ce château se trouve au milieu de la plus belle forêt de
la France.   On ne pourrait pas croire qu'il y eût dans ce

pays une si grande étendue de terres boisées.   Toute
cette forêt est entourée d'un mur haut de dix pieds qui
ne permet pas au gibier de sortir.   Par conséquent, il se
trouve dans ce parc immense, une quantité de chevreuils,
5 de lapins, de lièvres, de perdrix.   Chaque année les propriétaires de ces domaines viennent à la chasse et tuent
d'innombrables animaux.   Les chasseurs prennent place
aux coins des carrefours, tandis que les villageois armés
de bâtons battent les broussailles.   Le chasseur ne bouge
10 pas, il tire de son lieu d'affût.   Il ne charge pas même son
fusil, un domestique qui se tient à ses côtés se charge
de cette besogne.   Daniel Boone ne se serait pas arrêté
un instant pour assister à ce massacre des innocents.
Mais comme nous l'avons dit, chaque pays a ses coutumes,
15 nous pêchons le saumon à la machine aux Etats-Unis!

Nous nous étions promenés pendant une heure au
moins, avant d'arriver au petit village de Chambord,
village qui entoure le château.   Nous avions suivi la
grande route, superbement entretenue et qui avait plu-
20 tôt l'air d'un boulevard que d'une route ordinaire de
campagne.

"Je n'ai jamais rien vu de plus beau, dit mon ami.
Ce chemin, cette forêt et ce ciel bleu!   Nous sommes en
pays de fées. . . .

25   — J'avoue que c'est tout aussi beau que le parc de
Versailles, dis-je.   Cette forêt-ci n'est peut-être pas aussi
bien entretenue que celle-là et cependant je préfère son
air sauvage. . . .   Cela me rappelle un peu nos forêts
d'Amérique.

30   — Prenons ce chemin, dit-il, cela en vaut la peine."

Il installa son appareil au milieu du chemin, mais
avant de pouvoir prendre la photographie, il dut se
garer une demi-douzaine de fois pour faire place à des

automobiles qui venaient de partout à ces lieux enchantés. Je m'étais assis auprès d'un vieil arbre et je jouissais à l'ombre de la vue unique et belle....

"En route ! dit-il, je suis prêt.

—Volontiers, lui dis-je, d'autant plus que je me suis 5 assis près d'un nid de fourmis. Ces diables rouges s'apprêtent à m'attaquer ; ils sont immenses....

—Ce sont des fourmis royales ! dit-il, des fourmis ordinaires seraient mal venues dans un pays où tout est grandiose, dans ce domaine royal, même les petits 10 prennent des proportions gigantesques.

—En tout cas leurs piqûres font très mal ! elles mordent comme des tortues !

—Allons au château !" dit-il, et nous continuâmes notre promenade.   15

Chambord.   Le château.

Le château de Chambord fut bâti par François Ier, aussi y trouve-t-on des salamandres.   C'est comme à Blois. Cependant, en historiens fidèles, nous sommes obligés de dire que François ne bâtit pas le château dans le seul but d'y placer ces animaux !   Des touristes ordinaires 20 pourraient tomber dans cette erreur en contemplant toutes ces salamandres qui ornent jusqu'aux cheminées du palais.   Nous appartenons à une classe extraordinaire de voyageurs, nous voulons savoir et exprimer la vérité. Il y a encore quelques voyageurs de cette espèce, même 25 de nos jours.

On raconte donc que François fit bâtir le château pour faire plaisir à une très belle dame, qui avait nom Diane de Poitiers.   Inutile de dire que la belle dame avait déjà un château qui lui appartenait, mais c'était un château 30 très modeste.   François voulut bâtir un palais où il pût

Le Château de Chambord.

recevoir la magnifique Diane avec tout l'éclat qui con-
venait à un roi.   Il fit de Chambord le plus beau monument de la Renaissance en France.

   Le château est situé au milieu d'une prairie verte et se
5 détache sur un fond d'arbres plus verts encore que la
prairie.   Le paysage est superbe.   La base du château,
simple et presque sans ornements forme un contraste
avec les étages supérieurs qui sont richement ornementés.
Au milieu du toit, nous remarquons une tour : c'est la
10 fameuse lanterne.   On y faisait jadis un feu qui brûlait
la nuit pendant le séjour du roi et qui pouvait s'apercevoir à une très grande distance.   C'était comme un phare
au milieu de cette mer d'arbres et les jeunes seigneurs
qui ne connaissaient pas bien les chemins de Chambord
15 pouvaient facilement retrouver leur route, même pendant
les nuits les plus sombres.

Mon ami ne put s'empêcher de photographier le beau château.

"Je n'avais pu m'imaginer, dit-il, qu'il y eût tant de belles choses en France."

Le guide et le château.

Nous allons frapper à la porte, à la même porte qui 5 jadis ne s'ouvrait qu'aux rois et à leur suite. Un jeune homme nous reçoit, un jeune homme aux manières exquises. Il parle l'anglais d'une façon irréprochable, car il a fait ses études en Angleterre, il s'est perfectionné dans l'idiome du pays d'où vient le plus grand nombre 10 de touristes. Nous sommes heureux de rencontrer cet excellent jeune homme qui va nous servir de guide et qui connaît à fond l'histoire de Chambord.

Il nous montre les reliques du dernier comte de Chambord. Il nous raconte que les Royalistes français le con- 15 sidéraient comme le roi légitime de la France. Il nous fit voir son portrait, ses jouets qui consistaient en canons et en soldats. C'était tout ce qui restait dans ce château ; les autres appartements étaient vides, et comme nous étions les seuls touristes et que nous parlions peu, je commençais 20 à ressentir l'impression de froid et de tristesse que l'on éprouve dans les monuments funèbres. Il me semblait que je me promenais dans une espèce de mausolée.

"Voici, dit le jeune homme, la salle où Molière donna sa fameuse représentation du *Bourgeois Gentilhomme* 25 et de *Monsieur de Pourceaugnac*. Vous pouvez encore voir la trace des ouvertures par lesquelles les acteurs passèrent des appartements d'à côté sur la scène. Louis XIV assista à la représentation.

— Voici, dit-il, le fameux escalier de Chambord, il n'a 30 pas son pareil au monde. Deux personnes peuvent l'une le monter et l'autre le descendre en même temps, mais elles ne peuvent pas se rencontrer.

—Elles peuvent se parler et se voir? demanda mon ami.

5 —En effet! Essayez vous-mêmes, messieurs!" Nous montâmes, mon ami et moi, nous nous vîmes, nous pûmes nous parler, mais nous ne pûmes nous rencontrer sur cet escalier qui est bâti en spirale double.

Nous nous promenâmes pendant quelque temps sur le 10 toit du château. Ce toit est si vaste qu'un groupe d'écoliers américains pourrait facilement y jouer à la balle. Une partie de base-ball serait intéressante sur ce vieux toit.

Le coup d'œil sur les forêts était magnifique. Je 15 m'étais accoudé à la balustrade et je songeais à tous ces grands de jadis, lorsque mon ami vint me tirer de mes rêves:

"On pourrait passer des heures et des heures, dit-il, dans ce pays, mais il nous faut retourner à Blois, nous 20 avons une heure de marche d'ici à la station du tramway électrique."

Boucherie chevaline.

Un grand savant a dit "rien ne se perd dans ce monde." Un touriste pourrait ajouter: "rien ne se perd en France."

25 "Pas même les vieux chevaux! dis-je à mon ami.

—Comment cela se fait-il? répondit-il.

—On les mange!

—On les mange?

—Ne vous étonnez pas, on les mange tout juste comme 30 on mange les ânes et les mulets.

—Par exemple! ce n'est pas possible!

— Pourquoi pas ? ne mangeons-nous pas les opossums, les écureuils et tant d'autres choses que les Français ne mangent pas ? ' De gustibus non est disputandum,' ou comme on dit en français ' des goûts, il ne faut pas disputer.'   5

— Enfin, mon cher ami, vous ne voulez pas me dire que les Français mangent de la viande de cheval ?

— Venez avec moi au marché de Blois, je vous montrerai que j'ai raison."

Dans un coin du marché, nous lûmes une inscription: 10 " Boucherie Chevaline " dans un autre coin, " Boucherie Hippophagique " et au-dessous : " achat de chevaux de boucherie."

Mon ami me regarda : " Vous avez parfaitement raison, me dit-il.   Cependant !   15

— Cependant, quoi ?

— Cependant ... je vous assure que ce n'est pas moi qui mangerais un biftek de cheval pour dîner, ou une langue de mule pour souper.   Et regardez-moi cela, voilà une bonne dame qui achète un cœur ; ma foi, c'est 20 un peu fort !"

La dame qui a remarqué notre étonnement s'approche et nous dit : " Vous vous étonnez sans raison, messieurs, la viande de cheval n'est pas mauvaise, au contraire, elle est excellente !   Très souvent on la donne aux 25 malades et les médecins la prescrivent surtout aux poitrinaires.   Ceux-ci la mangent souvent crue et il y en a beaucoup qui se rétablissent en suivant ce régime.

— Il faut avouer que le remède est bien dur, madame.

— En effet, mais si on recouvre la santé ? "   30

Une estampille à l'encre violette donnait la date à laquelle la viande avait été examinée par le médecin vétérinaire.

"La viande de cheval est un véritable bienfait pour les pauvres, continua la dame. Ils ne peuvent pas acheter les viandes chères."

Mon ami qui n'avait pas parlé beaucoup pendant cette
5 visite, se tourna vers moi au sortir du marché : "Enfin, dit-il, chaque pays a ses coutumes. Nous ne voulons pas manger de cheval, et le Français ne veut pas manger d'écureuils qui pour lui ressemblent à des rats. Que voulez-vous ? Est-ce que pendant notre voyage en
10 France, nous aurions par hasard mangé ...

— Je comprends, dis-je, en interrompant mon ami. Tout ce que nous avons mangé jusqu'ici nous a semblé bien bon ; pourquoi tâcher d'élucider les mystères de la cuisine française ? Ne l'avons-nous pas trouvée
15 bonne ?

— On dit que c'est la meilleure cuisine du monde !" dit-il, et nous nous éloignâmes rapidement du marché et de ses boucheries hippophagiques.

Vers le midi.   Compagnons de voyage.

Nous disons adieu au Jardin de la France et au pays
20 des châteaux ; nous allons voir le Midi.

"En voiture !" Un coup de sifflet et voilà le train qui file, file ! Nous avons
comme compagnon de
voyage un tout petit
25 monsieur de Paris qui
est accompagné de sa
femme, de sa fille et
d'une quantité de ba-
gages. Cet homme s'y
30 entend à voyager !

Mon ami, qui en bon

Le fameux pont d'Avignon.

Yankee pratique le "Nil mirari," ne peut s'empêcher de me dire à l'oreille :

"Cet homme a autant de colis que François Ier avait de salamandres aux murs de ses châteaux !

Porte d'entrée de l'église des papes à Avignon.

— Vous vous trompez, lui dis-je. Les salamandres étaient moins nombreuses !

— Comptons! dit-il. Je vois :

1° deux immenses valises qui doivent peser au moins cent cinquante livres, chacune ;

2° cinq valises un peu moins grandes et qui pèsent au moins soixante-quinze livres chacune ;

3° deux cartons qui contiennent les chapeaux de madame et de sa fille. Je dirais que ces deux dames ont au moins une demi-douzaine de couvre-chefs par personne ;

4° un grand cylindre de fer-blanc qui contient les extras et le dîner de la famille ;

5° deux grandes boîtes de bois blanc qui contiennent les autres extras de la famille ;

6° une caisse de deux pieds carrés qui contient les extras supplémentaires. Enfin ce n'est plus un déménagement, continua mon ami, c'est une mobilisation, c'est toute une famille qui entre en campagne ! Mon cher ami, ce compartiment me rappelle la ballade de Tennyson :

> Cannon to right of them,
> Cannon to left of them,
> Cannon in front of them....

Il y a des valises à notre droite, des valises à notre gauche, des valises au-dessus de nos têtes, des valises sous nos pieds...."

Le brave propriétaire de tous ces articles était presque
5 invisible derrière sa barricade ; cependant, je pus en voir assez pour constater que sa tête était ornée d'une petite calotte noire, tandis que son nez était pris dans un pince-nez.

"Il ne parle pas à cause de sa moustache, dit mon ami.
10 Cela me rappelle notre Espagnol du bateau, tant sa moustache est grande, elle ne lui permet pas d'ouvrir les lèvres !"

La dame et l'enfant s'étaient assises auprès des fenêtres, mon ami regardait mélancoliquement un cigare
15 français qu'il ne pouvait fumer en présence des dames ; l'homme à la moustache s'était endormi, moi je regardais en rêvant le beau pays que nous traversions.

Vers le midi. Les " ripères."

Nous étions dans un pays qui différait de beaucoup de la Normandie et du Jardin de la France. Les champs
20 étaient plus vastes, les terres n'étaient pas aussi riches et les fermiers n'avaient pas réussi à les cultiver aussi soigneusement que l'avaient fait les Tourangeaux et les Normands. J'apercevais parfois de grands champs de blé qui me faisaient songer à l'Ouest des Etats-Unis.
25 Je remarquais avec plaisir que les machines agricoles de notre pays s'y employaient avec avantage, j'aurais pu m'imaginer bien des fois au Kansas.

Je contemplais un magnifique et immense champ de blé qui descendait comme un fleuve d'or du penchant
30 d'une colline et qui remplissait toute une vallée. Le vent faisait onduler toute cette masse dorée : le spectacle

était vraiment beau et je vis que mon ami s'était aussi
intéressé à la beauté du paysage....

Cependant la chaleur se fit sentir dans notre compartiment, tout était devenu tranquille, rien ne troublait la
monotonie des roues qui frappaient les rails avec une 5
régularité qui donnait envie de dormir. Je commençais
aussi à sentir l'effet de la chaleur, je ne regardais plus
les beaux paysages, je voulais dormir....

Tout à coup un bruit formidable me réveilla, je croyais
que le train avait déraillé! Mon compagnon me re- 10
gardait d'un air effaré, mais la dame et son enfant dor-
maient. Le petit homme était invisible, je compris!
Une demi-douzaine de colis s'étaient abattus des filets et
avaient complètement enseveli notre brave compagnon
de voyage. Cependant un tel accident ne le troubla pas, 15
il retira sa petite tête et son énorme moustache de dessous ses colis. Il trouva cet accident tout à fait naturel
et son sang-froid fit une bonne impression sur mon ami,
qui se leva immédiatement et lui donna un coup de main.
Ce service lui valut une présentation à madame et à sa 20
fille que le bruit des voix avait réveillées.

Le monsieur s'était rétabli confortablement entre ses
bagages, il avait l'air parfaitement heureux lorsque tout
à coup, il se leva et s'avançant vers nous dit:

"Messieurs, si vous êtes de l'Amérique vous vous in- 25
téresserez certainement aux 'ripères'!

— Les 'ripères'? Pardon, monsieur, je n'ai pas
l'honneur de vous comprendre." Mon compagnon secou-
ait la tête et ce signe négatif me fit entendre qu'il ne
comprenait pas non plus ce mot nouveau.   30

"'Les ripères macormic!' En voilà une, dit-il, en
nous montrant une moissonneuse américaine, voilà une
'ripère.'

—Parbleu ! dit mon ami, je comprends ce qu'il veut dire, il veut nous parler des ' r-e-a-p-e-r-s de McCormick,' je comprends !

—En effet, c'est cela messieurs, dit notre voyageur.
5 Les Etats-Unis nous envoient un grand nombre de ces machines. Vous voyez que la France se développe tout aussi bien que l'Ouest."

Et son petit nez qui avait l'air d'une cerise mûre devint écarlate, tant il était content de pouvoir nous parler
10 des Etats-Unis qu'il aimait, comme d'ailleurs le font tous les Français....

Cochons de chasse.

Le train s'était arrêté à une gare où nous vîmes plusieurs personnes qui regardaient attentivement un cochon enfermé dans un petit champ.

15 " C'est un cochon de chasse ! s'écria notre compagnon de voyage. Nous sommes dans un pays où il y a beaucoup de truffes et où l'on emploie les cochons pour les trouver.

—Qu'est-ce qu'une truffe ? demanda mon ami qui ne
20 connaissait pas encore toutes les coutumes françaises.

—C'est un végétal souterrain, dit le Français, un végétal très savoureux qui n'a ni tige ni racine apparentes et qui est très recherché par les gourmets.

—Il est difficile de le trouver ?

25 —En effet ! on ne peut le trouver qu'au moyen de cochons. Et encore, il faut des cochons dressés à la chasse."

Le monsieur vit que ses explications nous intéressaient.

30 " A l'heure donnée, dit-il, nous allons prendre notre cochon et nous nous mettons en marche. Nous nous

sommes munis de quelques poignées de maïs ou d'autre
grain. Nous nous rendons à un terrain, de préférence à
un terrain noirâtre, humide. C'est là que les truffes
poussent le plus abondamment, surtout à l'ombre des
grands chênes que vous voyez sur les coteaux.   5

Arrivés au terrain choisi nous mettons le petit cochon
en liberté, il commence à courir à droite et à gauche, il a le
nez fin ! Le voilà qui s'arrête et qui commence à gratter.
Il fouille vite et nous devons immédiatement l'arrêter.
Un ou deux coups de tête et il aurait mangé sa trouvaille ! 10
Nous lui jetons quelques grains de maïs et nous recom-
mençons la chasse, jusqu'à ce que nous ayons rempli nos
sacs de ces végétaux savoureux.

Vous trouverez cette chasse peu dangereuse, peut-être
trop simple, vous autres qui chassez le cerf et l'ours ! 15
mais, que voulez-vous ?   Moi, par exemple, je trouve un
grand plaisir à voir ce petit cochon courir, flairer, creuser.
Et puis je me plais à remplir un large sac de truffes.   De
plus, messieurs, il y a le sourire de la femme qui nous
voit revenir les mains pleines ... puis, le lendemain, il y 20
a encore un dîner entre amis.   N'est-ce pas, madame ? "
dit-il, en se tournant vers sa femme.   Celle-ci sourit et
approuva le dire de son mari d'un signe de tête.

Quant à lui, je vis ses yeux briller d'un éclat extraordinaire, et sa petite langue s'avançant des profondeurs de 25
sa moustache vint lécher les coins de sa bouche.

"Nous irons à la chasse, dit-il, aussitôt que nous nous
serons reposés du voyage !

— Ma foi, s'écria mon compagnon, nous vous souhai-
tons bonne chance ! "   30

DANS LE MIDI

Les Pyrénées.

Nous étions heureux d'arriver : nous étions bien fatigués du long voyage en chemin de fer. La journée avait été chaude et pendant de longues heures nous avions respiré la poussière et la fumée. Nos figures, nos
5 mains étaient noircies par la cendre. Nous avions passé par de nombreux tunnels où l'obscurité était venue s'ajouter à l'odeur âcre du charbon. Quel contraste ! Nous étions dans le pays des montagnes, le pays de l'air pur, de la brise rafraîchissante, nous étions dans les
10 Pyrénées !

Quelle fraîcheur, quelle pureté d'air ! Il nous semblait que cette fraîcheur et cette pureté devenaient tangibles.... On aurait dit que l'air était une eau qui vous coulait à pleins flots dans les poumons ! Nous nous sentions mé-
15 tamorphosés dans cet océan d'ozone qui tombait du haut de ces montagnes ; nous n'étions plus des voyageurs fatigués, nous étions des êtres nouveaux. Nous sentions dans nos veines la joie de la vie, nous voulions marcher, marcher !

20 Voilà le sommet de la montagne qui nous invite à la promenade, le soleil s'y mire dans les neiges éternelles. Tout y est lumière : la cime est argentée, blanche comme une grande hermine. Les ravins sont noircis d'ombres, les chênes se perdent dans la brume. Quelques prairies
25 étalent leur joyeuse verdure aux derniers rayons du soir. Des nuages flottent de cime en cime et s'étirent en longs voiles blancs et roses. Des hirondelles se perdent dans ces nuages, petits points noirs qui disparaissent, mais dont on peut toujours entendre les cris et le gazouillement.
30 A nos pieds, les tilleuls ont ouvert leurs calices et ils répandent leurs parfums, qui montent comme un encens

de la nature que la brise emporte vers les hauteurs. . . .
Quel spectacle magnifique ! Mon compagnon contemple
en silence ces montagnes, ces vallées, ces forêts, ces
neiges éternelles. . . . Il ne parle pas : le spectacle est
trop beau !   5

A mon tour, je m'assieds et je médite en silence. . . .

Les heures passent pendant que nous restons à contempler ce chef-d'œuvre de la Création. . . . Nous
restons là jusqu'à ce que nous voyions

　　　　" le char de la nuit qui s'avance."   10

Sur la route d'Espagne.

Venez nous rejoindre sur la route d'Espagne, la belle
route qui passe par le cœur des Pyrénées. Nous aurons
des montagnes à gauche,
des montagnes à droite
et, de chaque côté du 15
chemin, des arbres aux
feuillages divers.

Venez ! la brise est
douce, elle s'est par-
fumée aux fleurs qui 20
brillent aux flancs de la
montagne, elle s'est ra-
fraîchie aux eaux du
torrent qui bondit de
roche en roche et jette 25
son écume sur des pierres
séculaires. . . .

Sur la route d'Espagne. Vieille
tour du moyen âge.

Venez ! tout vous in-
vite à la promenade ! Le chemin est uni, le pied sera à
l'aise. L'ombre des arbres fait de grandes taches noires 30
sur la route, nous marcherons dans l'ombre.

Venez ! Les fleurs se sont couronnées d'or, de blanc et de pourpre. Elles agitent leurs couronnes au vent, elles se penchent vers nous sur leurs tiges frêles. A leur pied, la fraise rouge nous sourit. ...

5 Voyez la caravane qui passe : des hommes s'en vont en Catalogne. Regardez ces gaillards solides, coiffés de bérets, les corps souples ceints d'écharpes rouges. Ils marchent en sifflant, à la tête de leurs mules. Les femmes sont assises sur les bêtes aux pieds agiles. Les 10 vieilles ont le front ridé, elles regardent à peine le passant.... Les jeunes ont les yeux noirs qui lancent des éclairs.... Les grelots sonnent, les muletiers entonnent un chant de la vieille Espagne... venez nous rejoindre sur cette route des Pyrénées. ...

15 Un chasseur descend dans la vallée. Il était allé se perdre là-haut dans la neige et les nuages, il a trouvé la caverne où se cachait un ours, comme lui chasseur des chèvres de la montagne. Il s'est avancé dans la caverne, il a abattu l'ours incommode.... Il l'a jeté à travers le 20 dos d'une mule... le chasseur chante....

Voici un douanier français qui se promène devant une cabane solitaire. Il a l'œil sur les voyageurs qui viennent d'Espagne. Le pays d'Outre-Pyrénées a de bon tabac et ce tabac ne coûte pas cher. Le douanier regarde 25 du côté de l'Espagne. Un homme arrive de là-bas, il marche à la tête de sa mule, il amène une charrette remplie de branches mortes. Y a-t-il des cigarettes ou du tabac de la Havane sous ces branches desséchées ? Le paysan a l'air honnête, son béret bleu est presque 30 neuf, sa ceinture rouge est nouvellement lavée.... Un homme si bien soigné serait-il contrebandier ?

"Fouette ta mule, descends dans la vallée et bon voyage en France !" Le douanier retourne dans sa

cabane, le muletier s'en va les yeux riants, chantant sa
ballade.

Venez nous rejoindre sur la route d'Espagne, le soleil
y brille, mais la brise est fraîche.... L'air est pur au
cœur des Pyrénées.... 5

Autour de la cascade.

Nous étions à cinq ou six milles de Luchon à la Cascade Sidonie. Cet endroit est fameux ; tous les touristes
qui visitent Luchon vont
faire une promenade jus-
qu'à la Cascade. Nous 10
étions assis tout près de
ce torrent qui tombe du
haut des montagnes et
qui, remplissant l'air
d'une poussière d'eau, 15
nous rafraîchissait la
figure et les mains.

Nous nous reposions
un peu de notre marche,
à quelques mètres seule- 20
ment de la Cascade,
lorsqu'une vieille femme
survint, une paysanne
des Pyrénées. Elle s'ap-
procha de nous et de sa 25

Cascade Sidonie, Pyrénées.

voix la plus sympathique nous dit : "Vous êtes assis à
un endroit dangereux, messieurs. La cascade cause des
courants d'air, vous allez certainement vous enrhumer,
et les rhumes qu'on attrape ici sont difficiles à guérir."

Les paroles de la dame étaient prononcées d'un accent 30
si sincère que nous ne pouvions douter de la possibilité

d'un accident; nous nous éloignâmes donc de la cascade.
Mon ami s'apprêta à prendre le paysage lorsqu'un jeune
abbé sortit tout à coup des broussailles. Il tenait un
bâton à la main et avait évidemment fait la promenade à
5 pied. A la vue de notre appareil photographique, il
s'approcha: "Messieurs, dit-il, permettez, je suis un peu
photographe moi-même! Attendez quelques minutes, si
vous pouvez, il y a un petit garçon qui arrive là dans la
prairie. C'est un petit pâtre qui va mener ses chèvres
10 à la montagne. Demandez-lui d'éparpiller ces chèvres
sur le flanc de ce rocher, votre photographie y gagnera.
J'ai pris souvent cette cascade, je connais le petit garçon,
il vous obligera volontiers...."

L'aimable abbé avait à peine fini de parler qu'une
15 chèvre s'élança d'un bond sur un rocher au pied de la
cascade. Elle fut immédiatement suivie par une autre
chèvre, puis par tout le troupeau. Le petit pâtre apparut
presque en même temps. C'était un garçon d'à peu près
dix ou douze ans, aux yeux noirs comme la nuit, aux
20 dents blanches comme la neige de sa montagne. Il
connaissait évidemment le bon abbé, il le salua de
loin. Celui-ci lui dit quelques mots dans le dialecte
du pays et bientôt le petit garçon grimpa sur les rochers
le long de la cascade et appela ses chèvres à lui. Je
25 pus comprendre comment ces agiles animaux pouvaient
se planter sur ces rochers presque perpendiculaires, je
ne pouvais point comprendre comment le pâtre pouvait
y grimper. Il portait en effet une paire de bottes qui
auraient pu servir au géant de "Jack and the Bean
30 stalk"!

"Parbleu! s'écria mon ami, il faut venir dans ce pays
pour voir des choses pareilles. Voilà un petit garçon
qui marche sur le flanc d'une montagne où une mouche

pourrait à peine se tenir.   Je ne pourrais y faire dix pas sans dégringoler."

Le petit pâtre continua son ascension sans la moindre difficulté :

"Je suis prêt, messieurs !" dit-il.   5

Le jeune montagnard sourit, il se connaît aux poses ! Tant de touristes l'ont photographié....

Nous lui donnons quelques sous pour sa peine : il nous remercie et chante, en s'en allant, une chanson du pays que nous ne pouvons comprendre.   10

"C'est un bon petit garçon, dit l'abbé.   Il travaille dur pour entretenir sa mère qui est malade.   Le père de l'enfant est mort depuis des années et comme ces montagnards ont l'âme fière, cet enfant aime à remplacer auprès de sa mère, le père bien-aimé.   Chaque jour il mène 15 ses chèvres là-haut, et pendant que les bêtes mangent, il apprend sa leçon.   Le soir lorsqu'il retourne il vient au presbytère : c'est un écolier dont je suis content et fier."

Le quatorze juillet aux Pyrénées.

La Révolution Française commença le 14 juillet, 1789, lorsque les Parisiens attaquèrent la Bastille et la 20 démolirent complètement.   La Bastille était une ancienne forteresse devenue odieuse au peuple à cause de détentions arbitraires.   Les rois y emprisonnèrent leurs ennemis politiques et la prison devint l'expression de la tyrannie des rois.   Il était donc naturel que le premier acte de la 25 Révolution fût d'attaquer le monument odieux et de le détruire de fond en comble.   C'est en commémoration de cet événement que se célèbre la fête nationale du 14 juillet.   C'est comme chez nous en Amérique, nous célébrons aux Etats-Unis une fête nationale, le 4 juillet, 30 l'anniversaire de la Déclaration de notre Indépendance.

Nous étions donc à Luchon, dans les Pyrénées lorsque
la grande célébration commença. C'était la veille de la
fête, vers sept heures du soir. Luchon était très silen-
cieux, les rues étaient abandonnées, peu de gens étaient
5 à la promenade. Les touristes de la saison n'étaient pas
encore arrivés. Les montagnes aussi observaient un
silence religieux, tout était tranquille, là sur les hauteurs.
Pas le moindre petit souffle ne troublait le calme du
soir, lorsqu'un coup de canon se fit entendre. L'effet
10 de cette détonation fut remarquable. Il nous semblait
qu'une grande vague sonore se précipitait du fond de la
vallée et gagnait les montagnes. Toutes les cimes
s'inondaient de sons prolongés ; on aurait dit un tonnerre dont la voix s'était levée à nos pieds, dont les
15 échos se perdaient en Espagne.... Nous autres, qui
n'étions pas habitués à la montagne, nous ne pouvions
nous empêcher d'admirer la grandeur extraordinaire de
ce spectacle. Nous nous arrêtâmes, nous ne parlions
plus....

20 Un autre coup de canon se répercuta dans la montagne,
puis une fusée s'élança comme un serpent de feu et
remplit l'air d'étoiles rouges, bleues, jaunes, éclatant en
même temps avec un bruit qui alla éveiller les échos
les plus paresseux. La nuit claire et calme nous per-
25 mettait de jouir de ce spectacle comme peu de touristes
ont pu le faire, nous étions heureux de nous trouver à
Luchon ce beau soir du 13 juillet....

"Ecoutez, s'écria mon ami, j'entends le son d'un
clairon et je puis aussi distinguer les roulements d'un
30 tambour....

— Vous avez raison, lui dis-je, mais il me semble que
la musique est bien lointaine. Elle doit être de l'autre
côté de la vallée.

— Ces gens sont plus près que vous ne croyez, continua-t-il. . Il est difficile d'estimer exactement les distances dans les montagnes."

Il avait à peine fini de parler que subitement une fanfare de clairons et de tambours se fit entendre ; on 5 aurait dit que les musiciens étaient sortis de terre à nos pieds. Leur musique joyeuse fit une agréable impression sur nous et même les montagnes ne demeurèrent pas indifférentes. Elles se répétaient l'air vif et entraînant; on devait entendre cette musique française là-bas en 10 Espagne !

Mais si la musique semblait si proche, les musiciens demeuraient invisibles. Après quelques minutes nous pûmes distinguer une lumière rouge qui disparut bientôt derrière les arbres et les maisons. 15

"C'est la musique des guides, dit une dame qui se trouvait près de nous, entourée d'une demi-douzaine d'enfants. Ils vont au casino car ce soir a lieu la fantasia des guides de la montagne, il faudra y aller, messieurs. C'est ce qu'il y a de plus beau au monde, mon mari y 20 prend part.

— Ma foi ! dit mon ami, ce n'est pas tous les jours que nous voyons ce qu'il y a de plus beau au monde. Nous vous remercions infiniment, madame, de ce renseignement agréable, nous irons immédiatement au casino. . . ." 25

La fantasia.

Nous étions donc au jardin du casino, loin de la foule et des lumières électriques. Nous voulions être seuls et voir tranquillement la procession. Une ligne de lanternes vénitiennes suspendues à des perches blanches, et les têtes rougeâtres de leur porteurs nous annonçaient 30 l'arrivée des guides. Nous pûmes distinguer à la lueur

des flambeaux les clairons qui semblaient d'or dans la
lumière jaune.... Derrière les musiciens venaient les
hommes à cheval....

Deux hommes s'approchent en courant, ils viennent
5 allumer des feux rouges, jaunes, verts qui sont disposés
sur l'herbe. Tour à tour les musiciens et les cavaliers
viennent se baigner dans ces lumières fantastiques. Ils
prennent des proportions énormes dans la nuit, ils ressemblent à des géants, verts, bleus, jaunes....

10 Nous ne pouvons nous empêcher d'admirer les tambours,
petits montagnards souples, au pas allègre, qui marchent
avec la précision de tambours de régiment. Derrière
eux, les clairons marchent tout aussi lestement.

Voici les guides des Pyrénées, il y en a une trentaine
15 à cheval. Ils portent d'une main une lance ornée d'un
pennon aux couleurs nationales, de l'autre, ils portent
de gros fouets. Une foule de gamins les suit en sautant
et en chantant. Impossible de résister au spectacle et à
la musique, nous nous sentions aussi patriotiques que le
20 dernier de ces Français, nous nous mîmes à suivre les
musiciens.... Après tout, la bonne dame n'avait-elle pas
dit que tout ceci était la plus belle chose du monde ?

Les cavaliers et les musiciens s'étaient arrêtés devant
la grande salle des concerts du casino, sur une place
25 assez grande pour permettre aux chevaux d'évoluer.
Evidemment ces guides se connaissaient à l'art de les
manier. A un moment donné tous se mirent en double
file, puis abandonnant tout semblant d'ordre, chaque cavalier fit avancer sa monture, et courut à toute vitesse au
30 milieu de ses amis, agitant sa lance et donnant des coups
de fouet dans l'air. A un second signal, tout ce fouillis
se rechangea comme par enchantement en une ligne
double d'hommes et de chevaux.... Un coup de sifflet se

fit entendre et tous les hommes levèrent leurs fouets en
l'air.   Nouveau coup de sifflet! Tous les fouets de-
viennent de gros serpents noirs que les mains des guides
font plier et replier dans l'air... de leurs membres entor-
tillés sort un crépitement sec, qui ressemble à des coups 5
de pistolets d'enfants.... Ces coups viennent de partout
et l'air frémit du bruit fantastique....

"Avez-vous jamais entendu chose pareille? me dit
mon ami.

— Jamais de la vie! lui répondis-je.   J'ai entendu 10
parfois un fouet qui claquait, mais ceci!... La dame
avait un peu raison, je comprends son enthousiasme."

Après la fantasia, les hommes reçurent un verre de vin.
Des garçons descendirent les marches de la salle des concerts et passèrent d'homme en homme en lui donnant, 15
au nom de la compagnie du casino de Luchon, un verre
du meilleur vin de France.   Après quoi la musique et les
cavaliers se remirent en marche et bientôt le calme et la
tranquillité se firent de nouveau dans la petite ville, au
cœur des Pyrénées. . . . 20

La tauromachie!

Nous étions dans la bonne ville de Lunel, où le soleil
est de plomb à midi, où les habitants dorment une
partie de la nuit et une plus grande partie du jour.
C'est dans cette bonne ville que mon ami et moi, tout
Américains que nous étions, nous assistâmes à une inou- 25
bliable "tauromachie"!

"Parbleu! dit mon ami, je voudrais voir des Américains qui aient vu cela!   Une vraie tauromachie dans une
petite ville du Midi de la France!"

Les habitants de ce bon village s'étaient éveillés vers 30
les quatre heures de l'après-midi et se disposaient à fêter

d'une manière tout à fait méridionale, l'anniversaire de la
Grande Révolution ! Nous avons tous lu la description de
la lice et du combat dans *Ivanhoe*, mais ce chef-d'œuvre
de Scott pâlit à côté de
5 la réalité de la tauro-
machie de Lunel !

La scène de cet exploit
annuel est une place pu-
blique qui peut contenir
10 trois à quatre cents personnes. Au milieu de
la place, il y a quelques
arbres. Nous vîmes
comment les habitants
15 avaient placé des échelles
contre ces arbres et
avaient suspendu des
cordes à leurs branches.

Vieille rue à Lunel.

Toute la place était entourée de grands barils et de char-
20 rettes qui formaient une barrière solide au-dessus de
laquelle étaient placées des planches, en guise de plate-
forme. Sur les planches, il y avait quantité de chaises
que les bourgeois y avaient apportées de leurs maisons.
Nous nous installons sur ces chaises, étant donné que
25 nous sommes étrangers, et que les habitants de Lunel
sont hospitaliers.

Le moment solennel approchait, un gendarme dont la
grosseur surpassait la grandeur, vint se placer près de
nous. C'était un homme extraordinaire ! Armé d'un
30 clairon, il fit un bruit épouvantable. Je ne doute plus à
présent de la véracité de l'auteur de la *Chanson de Roland.*
Ce gendarme-là aurait facilement envoyé les sons d'un
Oliphant au-delà des montagnes. Par un jour calme, il

aurait pu se faire entendre au-delà des Pyrénées, même
jusqu'au pays de Didon !

A ce signal, les flâneurs, femmes et enfants, montèrent
sur la plate-forme et s'assirent pour attendre le commencement du spectacle. Des jeunes gens et même des 5
vieillards restèrent dans cette arène. Le maire de la
ville arriva, le brave homme et toute sa famille prirent
place à quelques pas de nous. Le gendarme donna
un autre coup de clairon.... Quels poumons superbes !
... Mais voici qu'une porte s'ouvre et une vache noire 10
s'élance au milieu de la lice. Les hommes approchent un
peu, appellent l'animal vers eux, tâchent de l'enrager....
Un homme un peu moins gras que notre gendarme et un
peu plus gros que l'Espagnol de notre bateau exécute une
danse devant l'animal.... Celui-ci abhorre la caricature 15
et, baissant ses deux cornes longues et effilées, s'élance
vers notre homme avec une rapidité foudroyante. Mon
cœur se serre d'épouvante, je n'aime pas à voir éventrer
des hommes ! mon compagnon me saisit la main ! Mais
notre frayeur est de courte durée, la vache n'a nullement 20
attrapé notre homme ! Celui-ci a saisi une corde, d'un
bond il s'est enlevé au haut d'une échelle ... il est
sauf !

Entre-temps la foule applaudit le brave citoyen de
Lunel.... Ses deux cents compagnons lui envient cet 25
applaudissement, ils commencent à leur tour à tourmenter
la vache noire. Celle-ci devient furieuse ; elle souffle des
naseaux et gratte la terre de ses pattes. A ce moment
un homme lui jette un parapluie rouge. L'animal se rue
contre cet objet agaçant avec une force irrésistible. 30
L'homme en profite pour courir le long de la bête et pour
lui arracher une cocarde d'entre les cornes. Cette cocarde,
petit ruban rouge, lui vaut dix francs. Avant que

l'animal ait eu le temps de voir ce nouvel assaillant,
celui-ci s'est élancé sur la plate-forme. . . .

Le prodigieux gendarme s'est levé. Il a placé de
nouveau son clairon aux lèvres et un son impossible sort
5 du tube de cuivre. Cet homme n'est pas un homme, c'est
une tempête humaine, un vrai ouragan de musique ! Enfin ! il donne le signal de s'arrêter. Une seconde vache
noire sort de l'écurie. Elle ne fait nullement attention à
ceux qui tâchent de l'agacer. Elle va droit vers l'autre
10 vache et la reconduit saine et sauve dans l'écurie.

Deux autres animaux viennent encore se battre dans
la lice. La joie des bons citoyens de Lunel est à son
comble. Les hommes crient, rient, les femmes applaudissent et les enfants tout joyeux comme leurs parents,
15 poussent des cris d'enthousiasme. Lunel s'amuse !

Un homme qui est assis près de nous, nous dit : " Il y
a peu de danger dans ces courses, messieurs, ces gens-là
sont trop agiles pour se faire attraper par les bêtes. . . ."

Le gendarme vient encore interrompre ces remarques,
20 il approche son clairon de ses lèvres et une cataracte de
sons vient se précipiter dans nos oreilles. . . .

" C'est le moment de l'intermission, nous dit notre bon
Français. Nous allons manger un morceau à présent,
puis nous reviendrons. On va lâcher encore trois tau-
25 reaux cet après-midi. Permettez, messieurs, je dois de
suite me rendre chez moi, on m'attend là-bas. J'espère
que vous resterez pour voir le reste de la course."

La foule s'éloigna, nous nous éloignâmes avec elle.
Nous avions vu en partie la grande tauromachie, nous en
30 avions assez pour nous dispenser du reste.

" Il faut avouer, dit mon ami, que ces gens ont du
courage !

— Plus que moi !" lui répondis-je.

Aigues-Mortes.

Nous sommes au bord de la Méditerranée, dans un
pays où les Romains venaient déjà se promener avant
Jules César. Un archéologue allemand pourrait facilement trouver ici des traces de la civilisation hellénique.

La Tour de Constance à Aigues-
Mortes. Ces murs de granit ont
plusieurs pieds d'épais.

Les Français n'ont pas 5
pu aller aussi loin que
leurs confrères germa-
niques, ils se sont bornés
à trouver ici des reliques
du régime romain.   10

Or, d'après ces savants,
il y avait ici jadis une
colonie romaine qui s'établit à un endroit où il y
avait des eaux mortes ; 15
ce mot "eaux mortes"
se traduit dans la langue
latine par "aquae mor-
tuae" d'où le vieux fran-
çais "Aigues-Mortes." 20
La colonie se développa
et devint un village d'une
grande importance.

Situé au bord de la mer Méditerranée, Aigues-Mortes
fut la demeure d'un nombre de navigateurs et devint 25
un port célèbre, un port que les rois se disputèrent.
Saint Louis en fit une forteresse que les soldats du
Moyen Age ne purent jamais prendre d'assaut. Il y réunit son armée de Croisés et s'embarqua à Aigues-Mortes
pour la Terre-Sainte. Depuis ce temps-là, des siècles ont 30
passé. Les hommes sont morts, les hommes sont nés,
mais la ville demeure. Ses remparts sont encore intacts,

ses rues toujours étroites, ses maisons aussi vieilles que
ses murs.

La mer s'est retirée et les flots qui jadis baignaient le
pied de cette forteresse ne s'en approchent plus.   Il y a
5 au moins sept kilomètres d'Aigues-Mortes à la Méditerranée.

Cependant cette ville vaut bien une visite, étant le
pendant du Mont Saint-Michel.   Elle est aussi calme,
aussi tranquille, elle a un air tout aussi ancien, tout aussi

Carcassonne, la vieille cité, telle qu'elle était au temps des Croisades.

10 vénérable.   Il faut très peu d'effort de l'imagination pour
se reporter au temps des Croisés.   Vous pouvez encore
vous promener le long des murs énormes, entrer dans
les vieilles tours et mettre les mains sur les parapets
d'où les archers envoyaient leurs grêles de flèches sur
15 les assaillants....

La nuit surtout, ce rêve devient une réalité.   Un calme
incroyable se produit, rien ne trouble le silence de cette
ville.   Contre le ciel, on peut voir la silhouette des remparts et des tours.   Une vieille cloche sonne les heures
20 et la voix de cette cloche semble d'un autre âge....

Murs extérieurs de Carcassonne. L'architecture des temps romains et du moyen âge.

Au Grau du Roi.

C'était après le coucher du soleil ; nous étions allés nous promener en dehors des remparts comme le font tous les soirs les bons habitants d'Aigues-Mortes, étant donné qu'il n'y a pas de place pour se promener dans la ville. Un monsieur de Paris qui était venu nous rejoindre nous 5 expliqua qu'une visite dans le Midi serait incomplète sans une promenade au Grau du Roi.

« C'est ce qu'il y a de plus beau au monde ! dit-il, cette promenade le long du canal qui relie Aigues-Mortes à la

mer, ne s'oublie pas. Je la fais toujours quand je le
puis ; il faut absolument que demain matin vous fassiez
la promenade que je vous indique."

Notre homme avait raison, il y a peu de promenades au
5 monde qui soient plus belles que celle d'Aigues-Mortes
au Grau du Roi. Le chemin est excellent ; on ne pourrait
demander mieux. Nous nous mîmes en marche de bon
matin et la fraîcheur matinale nous permit de marcher
aussi lestement que les héros de l'Anabase.

10 Le ciel était bleu, la terre était bleue. Les eaux
du canal étaient aussi bleues que la terre, et les arbres
étaient plus bleus encore. Au lointain, les montagnes
se perdaient dans des nuages d'azur. Çà et là une
maisonnette faisait une tache blanche sur ce paysage
15 bleu. . . .

Ce qui fit qu'un poète, il y en a beaucoup dans le Midi,
en regardant cette terre et ces cieux les nomma la " Côte
d'Azur." Ce qui explique aussi que parfois les poètes
ont l'œil juste.

20 Nous marchions donc heureux comme des écoliers ;
jamais nous n'avions vu pays plus beau. Une brise
venue du fond de la Méditerranée faisait trembloter
les feuilles des arbres, tandis que de petits tourbillons
de poussière se poursuivaient sur la route unie. . . .

25 Nous nous arrêtâmes un instant pour regarder des
pêcheurs qui s'étaient établis le long du canal. C'étaient
de vrais pêcheurs qui avaient des filets et qui préten-
daient prendre des poissons, des individus tout à fait
différents des êtres placides qui fréquentent les bords de
30 la Seine. Leurs filets s'étendaient d'un côté du canal à
l'autre, en relevant les filets les pêcheurs pouvaient couper le chemin à tout poisson qui passait.

Nous regardions attentivement ces hommes, ils ne

disaient mot, seulement ils tenaient les yeux attachés sur
le canal pour voir si les poissons ne passaient pas. Tout
à coup nous vîmes comme de petites formes noires, qui
s'allongeaient au-dessus des filets avec une rapidité extraordinaire. Immédiatement les deux hommes se mirent 5
à tourner une roue et le filet monta. Les hommes sau-

Pêcheurs sur le Canal d'Aigues-Mortes. Une bonne pêche,
cinquante livres par jour.

tèrent dans une barque, baissèrent un coin du parallélogramme de fil et s'avancèrent dans le filet. Ils le
relevèrent peu à peu chassant les poissons dans un
autre coin. Les pauvres poissons tâchèrent de s'échap- 10
per, mais hélas ! la main des pêcheurs était trop agile et
nous vîmes les petits corps d'argent tomber au fond de la
barque.

Encore une heure de marche et nous arrivâmes à la
Méditerranée. 15

Aux bords de la mer Méditerranée.

" Voici la réalisation d'un de mes beaux rêves, me dit
mon compagnon. Quand j'étais petit garçon en Amérique,
je n'aurais jamais cru qu'un jour je viendrais me promener aux bords de ces eaux classiques....

5   — Et nous voilà sur les mêmes sables qu'ont foulés les
légions romaines et avant elles les héros de l'Enéide....

Le monde se fait de
plus en plus petit. Les
chemins de fer et les
10 bateaux à vapeur ont
annihilé les distances."

Beaucoup de femmes
et d'enfants se prome-
naient avec nous sur la
15 plage, ou se reposaient
sur le sable. Nous les
laissâmes à leurs diver-
tissements et nous nous
éloignâmes de la foule.
20 Bientôt, nous fûmes seuls

Retour de pêcheurs, Grau du Roi.

sur la plage immense. Le vent d'Afrique continuait à
souffler, mais un vent d'Afrique purifié en passant au-
dessus du désert, rafraîchi par les eaux de la Méditerranée. Sous son souffle, les vagues venaient se briser
25 à nos pieds. Parfois une vague plus grande que les
autres nous forçait à nous retirer puis se retirait elle-
même, tout en laissant sur les sables un tapis d'écume
et de perles. Là-haut, dans un ciel du plus bel azur,
le soleil brillait et ses rayons se reflétaient dans les
30 eaux, ou faisaient briller sur les sables des milliers et
des milliers de coquillages que la mer avait rejetés.   Tout
en songeant, je ne pus m'empêcher de regarder ces petits

points rouges, verts, blancs, dorés, argentés. C'était comme si de petits morceaux d'arc-en-ciel étaient tombés sur la plage.

" Je comprends mieux, me dit mon ami, pourquoi ces gens du Midi ont le tempérament si poétique.   Personne 5 ne pourrait vivre longtemps dans ce pays sans en ressentir la beauté.   La Méditerranée a produit ses poètes comme les mers du Maine et des Carolines ont produit une race de gens qui ne craignent ni l'orage ni les vents. La race d'hommes qui vit sur cette côte pense, voit et 10 aime le beau ! "

Et tout comme un enfant il se mit à ramasser les coquilles.   Il s'en remplit les poches, et moi, suivant son exemple, je me mis aussi à choisir les plus beaux souvenirs que la mer avait rejetés du fond de ses flots.   15

" Supposons, lui dis-je après quelque temps, que nous puissions amener ici un bon nombre d'étudiants des Etats-Unis, supposons que nous puissions leur montrer cette mer superbe !... Comme ils aimeraient à nager dans ces eaux claires ! "   20

Il se mit à rire.

" Pourquoi riez-vous ? lui dis-je.

— Je pense, dit-il, à ce qui arriverait si par hasard quelques jeunes gens se décidaient à faire une excursion en bateau sur ces eaux.   Je crois qu'il serait difficile 25 de les ramener, tant ils aimeraient leur promenade. Je ne doute pas qu'ils aillent en Afrique ! . . . ils continueraient !...

— Et vous, qu'est-ce que vous feriez ?

— Je continuerais avec eux, dit-il en riant, qui 30 n'aimerait pas à naviguer sur la mer Méditerranée ?...

— J'espère que vous reviendrez, répondis-je, et qu'un jour vous et vos étudiants, vous aurez ce plaisir."

Panem et circenses.

Nous étions rentrés à l'hôtel. "Enfin, dis-je, mon cher
compagnon, nous sommes venus de bien loin, nous avons
fait le tour de la France, mais il nous faut retourner dans
notre patrie. Comme nous sommes en plein pays romain,
5 il nous faut voir des reliques romaines. Cependant nous
pourrions passer des années et des années dans ce pays,
et alors nous n'aurions
pas tout vu. Nous visi-
terons encore une ville,
10 puis nous nous remet-
trons en route pour les
Etats-Unis.

— C'est   exactement
ce que j'ai envie de faire :
15 allons voir la ville romaine. J'ai vu tant de
choses du dixième, du
onzième et du douzième
siècle que les forteresses
20 du Moyen-Age ne me

Les Arènes, Nîmes.

paraissent plus aussi intéressantes. Montrez-moi des
ruines romaines, des théâtres, des aqueducs... ou, ajouta-
t-il en riant, un vieux sabre de Jules César ou une vieille
casquette de Cicéron."

25   Nous allâmes à Nîmes. Nîmes vaut une visite, elle en
vaut deux. Nous étions arrivés à une place publique,
lorsque mon ami s'écria de toutes les forces de ses
poumons : "Grand Dieu ! Est-il possible ?

— Certainement, c'est possible ! Nous sommes arrivés
30 à un des plus beaux monuments de toute la France....

— Par exemple ! Un amphithéâtre romain, et nous
deux Américains qui venons au vingtième siècle nous

promener par ici ! Enfin cela vaut la peine de venir !"
Et en Américain pratique il se mit à photographier le
monument....

Nous entrons dans l'amphithéâtre. Par bonheur
l'heure est matinale et il n'y a pas encore de touristes 5
qui promènent leurs costumes modernes sur les ruines
vénérables. Le monument est en excellent état de conservation, les gradins sont toujours là et nous prenons
place sur un vieux fragment de rocher, siège où jadis
venaient s'asseoir les citoyens en toge. 10

" C'est donc ici, dit mon ami, que venait s'assembler
la foule pour jouir du pain et des jeux que la munificence
intéressée d'un empereur leur jetait ! Du haut de nos
sièges nous pouvons voir toute l'arène. Voilà la porte
par où entraient les gladiateurs, un ' Ave César ' sur les 15
lèvres.... C'est là qu'ils se battaient, c'est là qu'ils
mouraient un sourire à la bouche. Ce même sable
a bu le sang des chrétiens. Qui sait comment la foule
a applaudi aux souffrances de ces innocentes victimes !
... Si ces murs pouvaient parler, quelles histoires 20
navrantes nous entendrions !

— De nos jours, la foule y assiste encore à des spec-
tacles cruels. De temps en temps, il vient ici des toréa-
dors d'Espagne, et dans cette même arène des hommes
se battent avec des taureaux. Les acteurs changent, la 25
foule reste la même. De nos jours comme jadis, le
peuple veut son ' panem et circenses.' "

Le dernier chapitre.

Il nous restait encore à voir un autre monument qui
devait nous rappeler la splendeur des temps anciens, la 30
vieille " Maison Carrée " de Nîmes. C'est un temple où les
Romains venaient prier et offrir des sacrifices. Ce temple

est une merveille d'architecture, il n'y a pas de monument plus parfait.   Sa beauté a été copiée par des architectes des quatre coins du monde.

5
10
15
Temple romain, dit La Maison Carrée, Nîmes.

Les Romains ont vécu ici et ils ont écrit leur histoire en monuments que le temps heureusement n'a pas effacés. Une tour bâtie au sommet de la ville atteste leur valeur et leur science militaire. Du haut de cette tour, monument encore visible de leur victoire, le légionnaire pouvait surveiller les plaines qui entourent la ville.   Cette même tour lui servait de dernier refuge dans les dangers de l'attaque....

20 Nous vîmes au pied du monument un homme qui fumait tranquillement une pipe. A côté de lui, une jeune 25 demoiselle dessinait. L'homme nous vit venir et reconnaissant en nous des étrangers, nous dit un simple " How do you 30 do." Mon ami alla s'asseoir auprès de lui et tirant à son tour sa pipe de sa poche, se préparait

La Tour Magne. C'est ici que le légionnaire montait la garde.

à fumer son tabac français. L'homme lui offrit du tabac
de Virginie : bientôt la fumée monta et flotta du côté
dextre des deux hommes.... Notre voyage avait été
heureux, intéressant : était-ce un signe que notre retour
serait aussi agréable ?... 5

Les mois se sont passés... nous sommes de retour
dans notre beau pays d'Amérique. Parfois mon ami et
moi nous nous cherchons et nous causons avec plaisir de
notre beau voyage dans LA BELLE FRANCE.

LA POULE

Cott, cott, cott, codé ! dit la poule,
Mes poussins me suivent en foule.

Cott, cott, je leur donne à manger ;
Je les défends contre le danger.

5   Qu'un rat, qu'un serpent dans la haie.
Les menace ! ... Rien ne m'effraie.

L'autre jour, j'ai fait fuir un chien :
Une mère n'a peur de rien.

Cott, codé !   Sans jamais me taire,
10   Des ongles je gratte la terre :

Tous picorent autour de moi
Un ver, un grain, n'importe quoi.

Cott, codé !   Ce qu'ils n'osent prendre
Mon bec le prend pour le leur rendre.

15   S'ils sont fatigués je m'assieds :
Voyez sous moi leurs petits pieds.

Cott, codé !   Tous en ribambelle
Dorment bien chaud sous mon aile.

Petit coq, par la poule aidé,
20   Deviendra grand, cott, cott, codé !

JEAN AICARD, *Le Livre des Petits.*

LES PETITS LAPINS

Les petits lapins prudents
Dressent toujours une oreille ;
Cette longue oreille veille
Quand ils remuent leur nez en faisant voir leurs dents.

Des feuilles de choux, des raves,   5
Ils en mangeraient toujours !
Dans un coin des basses-cours,
Assis sur leur derrière, ils vous ont des airs graves.

Et l'on dirait des garçons,
Des garçons ou des fillettes,   10
Ou des messieurs à lunettes,
Qui lisent leur journal ou disent leurs leçons.

Mais si vous faites un geste,
Le lapin comme un éclair,
Sa petite queue en l'air,   15
Disparaît dans un trou sans demander le reste.

JEAN AICARD, *ibid*.

LA TORTUE ET LES DEUX CANARDS

Une tortue était, à la tête légère,
Qui, lasse de son trou, voulut voir le pays.
        Deux canards, à qui la commère
        Communiqua ce beau dessein   20
Lui dirent qu'ils avaient de quoi la satisfaire.
Voyez-vous ce large chemin ?
Nous vous voiturerons, par l'air, en Amérique :
Vous verrez mainte république,
Maint royaume, maint peuple, et vous profiterez   25
Des différentes mœurs que vous remarquerez.

La tortue écouta la proposition.
Marché fait, les oiseaux forgent une machine
     Pour transporter la pèlerine.
Dans la gueule, en travers, on lui passe un bâton.
5 Serrez bien, dirent-ils ; gardez de lâcher prise.
Puis chaque canard prend ce bâton par un bout.
La tortue enlevée, on s'étonne partout
     De voir aller en cette guise
     L'animal lent et sa maison,
10 Justement au milieu de l'un et l'autre oison.
Miracle ! criait-on, venez voir dans les nues
     Passer la reine des tortues.

La reine ! Vraiment oui ; je la suis en effet ;
Ne vous en moquez point.   Elle eût beaucoup mieux fait
15 De passer son chemin sans dire aucune chose ;
Car, lâchant le bâton en desserrant les dents,
Elle tombe, elle crève aux pieds des regardants.
Son indiscrétion de sa perte fut cause.

     Imprudence, babil, et sotte vanité,
20   Et vaine curiosité,
       Ont ensemble étroit parentage :
       Ce sont enfants tous d'un lignage.

LE RAT DE VILLE ET LE RAT DES CHAMPS

       Autrefois le rat de ville
       Invita le rat des champs,
25   D'une façon fort civile,
       A des reliefs d'ortolans.

       Sur un tapis de Turquie
       Le couvert se trouva mis.

Je laisse à penser la vie
Que firent ces deux amis.

Le régal fut fort honnête ;
Rien ne manquait au festin :
Mais quelqu'un troubla la fête   5
Pendant qu'ils étaient en train.

A la porte de la salle
Ils entendirent du bruit :
Le rat de ville détale ;
Son camarade le suit.   10

Le bruit cesse, on se retire :
Rats en campagne aussitôt ;
Et le citadin de dire :
Achevons tout notre rôt.

C'est assez, dit le rustique :   15
Demain vous viendrez chez moi.
Ce n'est pas que je me pique
De tous vos festins de roi,

Mais rien ne vient m'interrompre ;
Je mange à tout loisir.   20
Adieu donc. Fi du plaisir
Que la crainte peut corrompre !

LES DEUX CHÈVRES

Dès que les chèvres ont brouté,
Certain esprit de liberté
Leur fait chercher fortune ; elles vont en voyage   25
Vers les endroits du pâturage
Les moins fréquentés des humains.

Deux chèvres donc s'émancipant,
Toutes deux ayant patte blanche,
Quittèrent les bas prés, chacune de sa part:
L'une vers l'autre allait pour quelque bon hasard.
5 Un ruisseau se rencontre, et pour pont une planche.

... S'avançaient pas à pas,
Nez a nez, nos aventurières,
Qui, toutes deux étant fort fières,
Vers le milieu du pont ne se voulurent pas
10 L'une à l'autre céder....

Faute de reculer, leur chute fut commune :
Toutes deux tombèrent dans l'eau.

Cet accident n'est pas nouveau
Dans le chemin de la fortune.

LA FONTAINE.

ROMANCE DE LA BERGÈRE

15 Il pleut, il pleut, bergère ;
Presse tes blancs moutons ;
Allons sous ma chaumière ;
Bergère, vite allons :
J'entends sur le feuillage
20 L'eau qui tombe à grand bruit ;
Voici, voici l'orage ;
Voilà l'éclair qui luit.

Entends-tu le tonnerre ?
Il roule en s'approchant ;
25 Prends un abri, bergère,
A ma droite, en marchant ;
Je vois notre cabane....
Et tiens, voici venir

Ma mère et ma sœur Anne,
Qui vont l'étable ouvrir.

Bonsoir, bonsoir ma mère ;
Ma sœur Anne, bonsoir ;
J'amène ma bergère   5
Près de vous pour ce soir.
Va te sécher, ma mie,
Auprès de nos tisons :
Sœur, fais lui compagnie.
Entrez, petits moutons.   10

PHILIPPE d'EGLANTINE.

ECRIT AU BAS D'UN CRUCIFIX

Vous qui pleurez venez à ce Dieu car il pleure.
Vous qui souffrez venez à lui car il guérit.
Vous qui tremblez venez à lui car il sourit.
Vous qui passez venez à lui car il demeure.

VICTOR HUGO.

EXTASE

J'étais seul près des flots, par une nuit d'étoiles.   15
Pas un nuage aux cieux, sur les mers pas de voiles.
Mes yeux plongeaient plus loin que le monde réel.
Et les bois, et les monts, et toute la nature,
Semblaient interroger dans un confus murmure
        Les flots des mers, les feux du ciel.   20

Et les étoiles d'or, légions infinies,
A voix haute, à voix basse, avec mille harmonies,
Disaient en inclinant leurs couronnes de feu :
Et les flots bleus, que rien ne gouverne et n'arrête,
Disaient, en recourbant l'écume de leur crête ;   25
        — C'est le Seigneur, le Seigneur Dieu !

VICTOR HUGO.

NOTES

PAGE 2, line **20. maître d'hotel** : *chief-steward*. This officer assigns the seats to the passengers at the beginning of the voyage.

PAGE 3, 19. Bretagne : Brittany, a part of France situated on the Atlantic ; it will be more fully described in the chapters by that title.

PAGE 5, 26. jusqu'à trois : *to three*.

PAGE 8, 5. N'ayez pas peur : lit. *have no fear, don't be afraid*.

PAGE 9, 13. je me ferai un plaisir : *I shall consider it a pleasure.* **18. Grieg** : a well-known composer, whose works are marked by extreme delicacy of color and tone. **23. on commence** : *we begin.* " On " is the indefinite pronoun which corresponds to our " we," " they," etc.

PAGE 11, 23. nous nous donnons . la main : *we shake hands.* **28. de bon cœur** : *with a glad heart, readily.*

PAGE 12, 11. N'est pas libre qui veut l'être : *not every one is free, who wishes to be free.* **28. Qu'est ce qu'il faut déclarer ?** *what are we obliged to declare ?*

PAGE 13, 9. se tiennent : lit. *hold themselves, are stationed.* **28. aller, billet** : *single-trip ticket.* **31. je ne puis m'empêcher de rire** : *I cannot refrain from laughing.*

PAGE 14, 9. la grotte de Calypso : *the cave of Calypso.* The cave of this famous sea-nymph is described in Telemaque, a classic familiar to school-children in France. The passage is one of the best known in French literature. **17. Étant donné qu'il n'y a pas** : *since there are no . . .* **20. Bien d'autres** : *many others.* **28. vis-à-vis les uns des autres** : *face to face to each other.* **31. pas plus** : *not more.*

PAGE 17, 6. Philippe Auguste, king of France, 1180–1223, rival of Richard Cœur de Lion, and one of the main leaders in the third crusade. **32. Panthéon** : an old and famous church in Paris, now no longer used for worship. In its vaults are buried well-known French writers and statesmen.

PAGE **19, 1. sur les deux oreilles** : lit. *on both ears, soundly.*

PAGE **20, 18. à tant de sous la livre** : *at so many pennies a pound.* Although the metric system has been introduced in France, the names of old measures have been retained. The present pound weighs half a kilo. **21. il n'y avait qu'un chien** : *there was only a dog.* **22. J'étais à regarder** : *I was looking at.* **30. au tournant de la rue,** *at the turn of the street, at the corner of the street.*

PAGE **21, 30. Monsieur est étranger,** *the gentleman is a stranger.* The third person is often used in French to denote respect. **32. monnaie blanche,** *white money, silver money.* The smaller coins are made of brass, the others of silver.

PAGE **22, 6. gentilhomme pauvre,** *poor nobleman.* The allusion is to a character in Conscience's novel by that name. This nobleman had retained in his extreme poverty all the distinction which befits a man of noble birth.

PAGE **24, 16. Maeterlinck,** the foremost representative of the later school of Belgian writers. Born in Flanders, he took up his residence in France, and has become one of the most renowned poets of that country. **32. fassent l'aumône,** *should give alms.*

PAGE **25, 4. Il est défendu,** *it is forbidden.* **6. Je vais m'asseoir,** *I seat myself* . . . **7. Calvaire,** *Calvary.* A shrine representing the Crucifixion. These shrines are very common in Catholic countries. **10. prière de midi,** *the midday prayer.* The church bells ring three times a day to call the people to prayer. The faithful cease their work for a few minutes and meditate on the Incarnation. "Angelus" is the first word of the prayer in Latin, hence the prayer is called by that name. Hence also the title of the painting by Millet.

PAGE **26, 17. qui veut un peu essayer son français,** *who is anxious to try out his French.* **23. il fait encore bien clair** : *it is still light.*

PAGE **27, 7. Sont-ils Anglais?** see note to page 21, line 30.
21. Voyez un peu: *just see.*   **27. va vous payer de votre travail**:
will pay you for your work.   **30. ne pouvait presque plus manger**: *was scarcely able to eat any more.*

PAGE **28, 18. L'œil s'y plait aux milles couleurs**: *the eye delights
in a thousand colors.*   **23. en train de pêcher**: *busy fishing.*

PAGE **30, 4. C'est ce qu'il a fait**: *that is what he has done.*

PAGE **31, 1. c'est à ne pas le croire**: *one could scarcely believe
it.*   **10. Vous n'avez pas peur**: *you are not afraid.*   **12. Elles
ne feraient de mal**: *they would do no harm.*

PAGE **32, 16. nous les achetons à un ou à deux ans**: *we buy them
one or two years old.*

PAGE **33, 4. Combien vaudraient bien ces animaux-là**: *how
much would those animals be worth.*   **25. Voilà notre affaire**:
that is exactly what we want.   **26. Entrez-donc**: *come right in.*
30. par contre: *on the other hand.*

PAGE **34, 23. Il fallait se battre**: *one had to fight.*

PAGE **35, 13. Alsace-Lorraine**: a former province of France,
annexed by Germany after the war of 1870. The dream of every
French patriot has been to see this ancient province returned to
the mother country.

PAGE **36, 1. Lycée**: Lyceum, a part of the school system of
France, corresponding in a general way to our high school. The
Lyceum prepares its students for the University.

PAGE **38, 4. Constance Chlore**: Roman emperor, 305–306 A.D.
5. Julien: Julian, Roman emperor. Julian was governor of Gaul
from 361 to 363.   **6. Clovis**: king of the Franks, defeated the
Alemanni at Soissons, and became the first Christian king of
France.   **7. Charlemagne**: son of Pepin, and king of France in
768. He became emperor of the Holy Roman Empire in 800.
Charlemagne was a great lawgiver, a distinguished warrior, a
statesman, and patron of letters. He is perhaps the greatest figure
in the history of the Middle Ages.   **13. Hugues Capet**: son of
Hugh the Great, king of France and founder of the dynasty of the
Capetians.

PAGE **39, 13. Louis XIV**: king of France. Because of the splendor of his court he was called "le Roi Soleil," the sun-king. He became king at the age of five and reigned seventy-two years (1643–1715).

PAGE **40, 12. aux enchères**: *at public auction.* These auctions are extremely interesting to visitors. Sales are held daily and products are sent from all parts of the continent. **Achète qui veut**: *whosoever will may buy.* **14. la Villette**: suburb of Paris where the great cattle-pens and the abattoirs are situated. **16. avant d'être mises en vente**: *before being offered for sale.* **23. Il faut cinq grandes rivières**: *five great rivers are needed.*

PAGE **41, 4. Ils viennent toujours**: *they keep on coming.* **11. Chesterfield**: English lord and statesman (1694–1775). He was celebrated for his wit and for his charming manners.

PAGE **42, 12. On ne s'attendrait pas à moins de la part d'un Français**: *one would not expect less from a Frenchman.* **19. des Romains**: the Roman respect for the aged is well known. **30. s'en rendent compte**: *are aware of it.*

PAGE **44, 16. Raison de plus**: *this was an additional reason.* **19. Ce qui m'intéressait c'étaient ses cheveux en brosse**: *that which interested me was his hair cut brush-fashion.*

PAGE **45, 5. sa personne était bien soignée**: *he was very neat about his person.* **17. quelque chose de bon**: *something good.* **26. se porte beaucoup en France**: *is much worn in France.*

PAGE **46, 15. tout en essayant les chapeaux**: *whilst trying on the hats.* **16. vous vont bien**: *are becoming to you.*

PAGE **47, 11. un détail leur manque**: *they are wanting in one detail.*

PAGE **48, 1. les femmes de Paris s'habillent de leur mieux**: *the women of Paris wear their best attire.* **6. vient se glisser**: *comes and slips.* **31. vous n'auriez dû payer**: *you should have had to pay only.*

PAGE **50, 5. il aurait donné de la tête contre ce toit**: *he would have struck the roof with his head.* **22. Ce disant**: *saying this.* **26. Chapeaux bas**: *hats off!*

PAGE **52, 1. Victor Hugo**: celebrated French writer of the last century. His poetry and his novels are famous. Among the latter are "Les Misérables," "Notre Dame," etc. His style is unsurpassed in its force and in its beauty. At the same time, he is one of the greatest writers of children's poems, and in these works of art his style is simple. His funeral was attended by nearly all the distinguished citizens of France, and his body was buried in the Pantheon.   **6. Henri IV** : king of Navarre and afterwards king of France. A Protestant at first, he subsequently became a Catholic. He was one of the best beloved kings of France. According to a tradition he, while still a Protestant, went to a service at Notre Dame, stating that Paris was well worth a Mass.   **9. Joséphine** : first wife of Napoleon. She was divorced by him so that he might marry Marie Louise of the house of Austria. Pope Pius VII came expressly from Rome to attend the coronation of Napoleon. **11. Lavigerie**: famous French cardinal and missionary. He was at the head of the Pères Blancs of North Africa and became interested in the civilization of the Negroes. He preached a famous crusade against slavery and slave traffic. He spoke to immense audiences at Notre Dame and at Sainte Gudule (the latter a cathedral at Brussels).   **25. le temps est beau** : *the weather is fine.*

PAGE **53, 7. Bien du monde**: *many people.*   **18. qui n'en finit pas** : *which has no end.*   **25. Il fait si noir** : *it is so dark.*

PAGE **54, 10. elles se firent les gracieuses interprètes** : *they became the gracious interpreters.*   **12. les Champs Elysées** : *the Elysian Fields.* This name is given to a very wide and very beautiful avenue which leads from the Louvre to the Bois de Boulogne, the forest of Paris. The avenue is planted with all kinds of trees and adorned with all manner of statues. It is the meeting place of the fashionable world of Paris, indeed of all Europe, and is one of the most famous thoroughfares of the world.   **Dôme des Invalides** : a very beautiful church in which is placed the tomb of Napoleon. The gilded cupola of the church is visible at a very great distance, and is easily recognized from the towers of Notre Dame.   **17. Elles ont raison d'être fières** : *they have right to be proud.*

PAGE **55, 21. ils semblent s'accorder parfaitement** : *they seem to harmonize perfectly.*

PAGE **56**, **7**. Je ne saurais me passer de cette belle chimère: *I would not be able to get along without this beautiful chimera.* **11.** C'est ce que dit la femme: *that is what the woman said.* **20.** gare à vos têtes: *look out for your heads.* **28.** l'explication: *the explanation.* The French guides are appointed from the ranks of deserving persons, whose knowledge is limited. Some have memorized an explanation which they faithfully repeat to the public. The continual repetition of the same words has had its effect on the guides, and often the words are spoken in a monotonous, lifeless voice.

PAGE **57**, **18**. Si cette cloche venait à tomber: *should this bell happen to fall.*

PAGE **58**, **2**. à grande volée: *at full peal.* The guide stated that only persons used to the sound could remain in the tower when the bell was thus rung. The noise is unbearable to others. **17.** le brave Perrichon: *the good Perrichon.* This man is a famous character in French literature, and as familiarly known as Pickwick in English. He belonged to the middle class, and decided to take a trip to Switzerland. His daughter carried a note-book, and was requested by her father to write on one side his thoughts, on the other side the expenses of the journey. These reflections, although apparently commonplace, were replete with good hard sense. **22.** Je ne pus m'y tromper: *I did not make a mistake.* **26.** Pan: god of the flocks and pastures. He delighted in flute-playing.

PAGE **59**, **2**. la chèvre de M. Seguin: this goat is known to French children and also to American children. Its history is found in many of our Readers. The original is French, and tells that the goat belonged to Mr. Seguin, who tried very hard to take care of the animal. Notwithstanding his best efforts, the goat became tired of her surroundings and wandered up to the mountain, where a wolf devoured her. **13.** Il faut avouer: *one must confess.* **23.** C'est comme s'il eût dit: *it was as if he had said.* **27.** cela ne convient nullement: *that is not at all becoming to.*

PAGE **60**, **7**. litre: the French unit of liquid measure. **9.** se mit à la traire: *began to milk it.* **19.** Charles **V**: king of France from 1364 to 1380. **22.** François **I**: Francis I was the great opponent of Charles the Fifth, and was made a prisoner at the battle of Pavia, in which he was defeated by Charles. He surrendered with the words : "All is lost but my honor." **27. du Vatican et de l'église de Saint Pierre** : the Vatican and the basilica of Saint Peter are among the more prominent buildings of Rome. The Pope resides in the former and officiates on state occasions in the latter.

Page **61, 30. Fra Angelico** : a Florentine painter. " He stands as the highest type· of the purely religious painter, not merely because of his devotion to the sacred subject, but because of the reverential manner with which he approached his work as one in which an act of worship was accomplished." He lived in the fifteenth century.

Page **62, 3. Leonardo da Vinci** : (1452–1519) was a painter, an architect, a sculptor, an engineer, an inventor, and a man of letters. Students are acquainted with his painting of the Last Supper. The story of his Mona Lisa is given in the text. **22. Murillo** : (1613–1682) foremost Spanish painter. Allusion is made in the text to his most celebrated painting, the "Immaculate Conception."

Page **63, 9. y ont droit d'entrée** : *are admitted to it by right.* **17. Angelus de Millet** : see picture on page 29. **23. Watteau** : society painter of the eighteenth century. **29. Meissonier** : modern French painter renowned for his war scenes.

Page **64, 7. Qu'est-ce que c'est que cela** : *what is that?*

Page **65, 15. cet Athénien moderne** : the Athenians held beauty in the highest esteem, whether beauty of the body, of the mind, or of surroundings. **17. bâteau-mouche** : lit. *fly-boats.* These excursion boats swarm on the Seine, carrying large numbers of passengers. An excursion on the Seine is a delightful event, not only to the Parisian but also to the visitor.

Page **66, 2. des herbes en tapis verts** : *green carpets of grass.*

Page **67, 17. N'allez pas croire** : *do not for one moment think.*

Page **68, 14. tout le monde y va** : *everybody goes.* **19. vont s'y disputer** : *are going to contest for.*

Page **69, 3. voyez-moi cela** : *look at that.* **5. la cloche de Lande-Fleurie** : *the bell of Lande-Fleurie.* This bell is mentioned

in Lemaitre's story by that name. The parishioners of Lande-
Fleurie had taken up a collection to replace the old church-bell,
which was cracked and produced a sad sound. They intrusted
their beloved priest with the money ; unfortunately, the latter, in
a moment of ill-advised generosity, gave the money to a beggar
girl. The clergyman found himself in great trouble because of his
charity, and was about to confess to his congregation the mis-
appropriation of the funds, when suddenly a new bell rang out
from the tower. The bell was donated by two American neigh-
bors of the priest. The story is admirably told by Lemaitre.
14. Les voilà qui cessent de causer : *look ! they stop talking.*

PAGE **70, 15. Mais alors il ne faudrait plus vendre de billets** :
but then, they should not sell any more tickets.   **24. le fameux
cheval de Troie** : the horse of Troy in which the Greeks con-
cealed themselves. The horse was enormous, and from its depths
the Greeks rushed forth to sack the town of Troy, into which
the horse had been pulled by the Trojans themselves.

PAGE **71, 17. Nous autres, nous applaudissons** : *as to us, we
applaud.*

PAGE **75, 6. vieux monastères** : The religious orders were ex-
pelled from these ancient buildings during the French Revolution.
16. C'est ici que se font les exercices : *it is here that the drills
take place.*

PAGE **76, 22. Nous nous mîmes en marche** : *we began to walk.*

PAGE **77, 15. Baedeker** : *guide-book.*

PAGE **79, 22. En pratique, cela revient au même** : *practically
this is the same.*

PAGE **82, 26. Cela veut dire** : *that is to say.*

PAGE **83, 7. Henri Conscience** : author of the nineteenth century, who describes life in Flanders.   See note to line 6, page 22.
10. Balzac : French author of the nineteenth century.   His novels
and stories are very numerous and are much read.

PAGE **87, 1. Outre-Rhin** : *Beyond-the-Rhine*, Germany.
5. meine Herrschaften : (German) *gentlemen.*

PAGE **89, 12. en savait plus sur:** *knew more about.*
19. Guillaume Ier fut proclamé empereur: The German empire was proclaimed on French soil, at Versailles, after the Franco-Prussian war. **30. nous n'avions jamais rien vu de pareil:** *we never had seen anything like it.*

PAGE **91, 9. hors de leur milieu:** *out of their place.*

PAGE **94, 5. qu'est-ce qu'elles en font?** *what do they do with them?*

PAGE **95, 16. qui étaient en train:** *who were busy.*

PAGE **97, 8. cela y est:** *there, it is done!*

PAGE **98, 14. se confondit en remerciements:** *thanked us most profusely.*

PAGE **101, 18. Elles ont la langue bien pendue:** *they have long tongues.*

PAGE **107, 11. Y a-t-il quelque chose?** *is there anything the matter?*

PAGE **110, 1. qui lui valait un pourboire:** *who was worth a tip to him.* **6. Que voulez-vous!** *what are you going to do!*

PAGE **112, 21. C'est tout juste comme:** *it is exactly as if.*

PAGE **114, 4. Chez eux:** *at their home.* **L'amour s'en vient l'amour s'en va:** *Love comes and love goes.* The refrain of an old students' song.

PAGE **119, 2. Dante:** Italian poet of the Middle Ages, whose Divine Comedy is one of the masterpieces of literature. In this work occurs his famous description of Hell. **18. Faust, Il Trovatore:** two well-known operas.

PAGE **120, 4. son rire fait mal:** *his laughter makes us feel bad.*

PAGE **124, 13. Il pleuvait à verse:** *it rained in torrents.* **18. Cathérine de Médicis:** wife of Henri II, queen regent of France during the minority of Charles IX. She took part in the massacre of the Huguenots. **19. Henri III:** king of France (1574–1598).

PAGE **125, 11. si ce n'est:** *except.* **17. En attendant:** *in the meantime.*

PAGE **126, 1.** Il fait beau maintenant; *the weather is beautiful now.*

PAGE **128, 31.** le roi a affaire à vous: *the king seeks a quarrel with you.*

PAGE **129, 29.** tout de même: *just the same.*

PAGE **131, 14.** cela fait du bien à la santé: *that is good for one's health.*   **30.** Nous nous serrons la main: *we shake hands.*

PAGE **135, 7.** ses fameux milliards:.Bismarck put an enormous war-tax on France, which was, however, paid in a short time.

PAGE **140, 30.** cela en vaut la peine: *that is certainly worth the trouble.*

PAGE **143, 24.** Molière: French dramatist whose comedies are classics. His " Médécin Malgré Lui " is often played by students. His other comedies are equally as delightful and well known. **28.** appartements d'à côté: *adjoining rooms.*

PAGE **145, 3.** De gustibus non est disputandum: (Latin) *it is useless to quarrel about tastes.*

PAGE **146, 21.** En voiture: *all aboard!*   **29:** Cet homme s'y entend à voyager; *that man understands traveling.*

PAGE **147, 1.** Nil mirari (Latin) : *be astonished at nothing.*

PAGE **151, 8.** Le voilà qui s'arrête: *suddenly he stops.* **21.** N'est-ce pas: *is it not so ?*   **24.** Quant à lui: *as to him.*

PAGE **153, 10.** The quotation is from a poem, "Le Lac," by Lamartine.

PAGE **154, 23.** Outre-Pyrénées: *beyond the Pyrenees*, Spain.

PAGE **157, 27.** de fond en comble: *from top to bottom.*

PAGE **162, 31.** la Chanson de Roland: a French poem of the early Middle Ages. Roland, the hero, was about to die when he blew his horn called " Olivant." The sound was heard an incredible distance.

PAGE **163, 2.** Didon: queen of Africa in the mythological age.

PAGE **172.** Panem et Circences: the cry of the Roman populace to the Caesars, "give us bread and plays."

PAGE **173**, 15. "**Ave César**": the cry to Caesar of the dying gladiators. The complete greeting was: "Hail thee, Caesar, those who are about to die, greet thee!"

PAGE **177**, 8. **Assis sur leur derrière**: *seated on their hind-legs.* 21. **ils avaient de quoi la satisfaire**: *they had the means to satisfy her.*

PAGE **178**, 2. **Marché fait**: *the bargain being made.* 21. **Ont ensemble étroit parentage**: *are of the same parentage.*

PAGE **179**, 12. **Rats en campagne aussitôt**: *the rats at once deliberated.* 21. **Fi du plaisir**: *away with the pleasure.*

PAGE **180**, 4. **pour quelque bon hasard**: *seeking some good adventure.* 11. **Faute de reculer**: *because neither would draw back.*

QUESTIONNAIRE.

Le bateau est français. Page 1.

Qui sommes-nous ?

Qui parle français ?

Nos compagnons de voyage. Page 1.

Qui remarquons-nous parmi les voyageurs ?

Où vont les dames ?

Qui sont nos autres compagnons de voyage ?

La cabine et le garçon. Page 2.

Que dit mon compagnon ?

Quelles langues le garçon parle-t-il ?

Qui donne les places dans la salle à manger ?

L'Espagnol farouche. Page 2.

Quelle barbe et quelle moustache porte l'Espagnol ?

Comment les dames l'écoutent-elles ?

Que dites-vous de son caractère ?

Les petites sœurs. Page 3.

Comment les sœurs sont-elles habillées ?

Que chantent-elles ?

Que dit la dame française ?

Jean Calas. Page 3.

Qui est Jean Calas ?

Où son père l'emmena-t-il, étant encore enfant ?

Les matelots, que font-ils le soir sur le pont ?

Les courses sur le pont. Page 5.

Où les concurrents placèrent-ils les cuillères ?
Mon ami que plaça-t-il dans chaque cuillère ?
Quel était le prix de la course ?
Qui gagna ?

Les marsouins. Page 7.

Un homme que crie-t-il ?
Que font-ils tous ?
Comment sautent les poissons ?
Que dit l'Espagnol ?

Nous voyons la France. Page 9.

Qu'est-ce que le bateau semble occuper ?
Comment sommes-nous sûrs que le bateau s'avance ?
Que voyons-nous à l'horizon ?
Que sont les points blancs ?

Le pilote de la Manche. Page 10.

Pourquoi faut-il un pilote ?
Qui paie les pilotes ?
Quel est l'air du pilote ?
Où vont les matelots qui l'ont amené ?

En chemin de fer. Page 14.

Qui vend les billets ?
Quel compartiment occupons-nous ?
À quoi les wagons ressemblent-ils ?
Quelle odeur y trouvons-nous ?
Comment les voyageurs sont-ils assis ?
Pourquoi ?

Rouen. Jeanne d'Arc. Page 15.

Quand mourut Jeanne d'Arc ?
Où ?

Que trouve-t-on à l'endroit où elle exhala son âme ?
Que dit le petit garçon à son père ?
Celui-ci, que répondit-il ?

Cris des rues. Page 19.

Qu'est-ce qui me réveilla ?
La rue, de quoi se remplit-elle ?
Quel mot dominait le bruit ?
Pourquoi mon ami continuait-il à dormir ?

Papier d'Arménie. Page 21.

À quoi sert le papier d'Arménie ?
Comment le vendeur m'offrit-il une bandelette ?
Refusa-t-il ma monnaie ?   Comment ?

Saint-Wandrille. Page 22.

Qu'est-ce qu'on trouve à Saint-Wandrille ?
Quelle est l'impression produite par l'église ?
Où s'étend le cimetière ?

L'abbaye de Saint-Wandrille. Page 23.

Qui nous ouvre la porte ?
Qui demeure dans la vieille abbaye ?
Pourquoi ne pouvais-je pas écrire mes notes ?

Le cantonnier et le foin. Page 26.

Qu'est-ce que mon ami dit au cantonnier ?
Pourquoi celui-ci nous regardait-il avec étonnement ?
Quel compliment mon ami faisait-il au cantonnier ?

Paysages normands. Page 28.

Où étaient les petits garçons et que faisaient-ils ?
Étaient-ils très différents des gamins américains ?   Pourquoi ?

Vaches normandes.   Page 30.

Que dit le jeune homme à mon ami ?

Combien de lait donnent les vaches ?

Que fait la gardienne du troupeau ?

Pourquoi aime-t-elle sa vache blanche ?

Le paysan et ses chevaux.   Page 31.

Pourquoi descendîmes-nous dans la vallée ?

Pourquoi n'y a-t-il pas de vieux chevaux en Normandie ?

Quel était le prix des deux chevaux ?

Hospitalité de soldat.   Page 33.

Qu'est-ce que nous vîmes au tournant du chemin ?

Qui nous dit d'entrer ?

Qu'est-ce que le vieillard fit ?

Hospitalité de soldat.   Page 34.

Qu'est-ce qu'il y avait dans la petite boîte bleue ?

Les Français aiment-ils beaucoup la patrie ?

Pourquoi le vieux soldat avait-il reçu la croix d'honneur ?

Qu'est-ce qu'il nous offrit à notre départ ?

Un peu d'histoire.   Page 37.

Racontez ce qui arriva à Paris en 865.

Quelle est l'origine de la Sorbonne ?

Que firent Louis XIV et Napoléon pour Paris ?

Le mouvement des rues.   Page 40.

Qui veille sur les piétons ?

Racontez l'incident de l'agent de police et de la vieille dame.

Les boulevards.   Page 46.

Quelle est la différence entre les boulevards de Paris et les rues des grandes villes américaines ?

Où se promènent les Parisiens le soir ?   Faites la description de la promenade.

Notre Dame. Page 50.

Que dites-vous de Notre Dame ?

Y a-t-il beaucoup de touristes qui visitent la vieille église ?

Nommez deux évènements qui eurent lieu à Notre Dame.

Les tours de Notre Dame. Page 53.

Y a-t-il un prix fixe pour voir les tours de Notre Dame ?
Expliquez.

Qu'y avait-il sur les murs de la tour ?

Que dit mon ami en voyant les jeunes filles si fières de Paris ?

Les chimères. Page 55.

Quelles statues trouve-t-on sur Notre Dame ?

Qu'est-ce qu'en dit la brave gardienne ?

Qu'est-ce qu'elle dit du beau diable neuf ?

Les chèvres et la flûte. Page 59.

Quel homme et quels animaux y avaient-ils dans la rue,
quand j'entendis le son de la flûte ?

Était-ce contre le savoir-vivre d'une chèvre de Paris de manger
des feuilles de choux ?

L'homme frappa-t-il l'animal ? Comment le rappela-t-il ?

Le Louvre. I. Page 60.

Racontez l'origine et le développement du Louvre.

Où trouvons-nous la Victoire de Samothrace ?

Donnez-en la description.

Racontez comment Mona Lisa fut enlevée du Louvre et
comment elle y fut replacée.

Le Louvre. II. Page 62.

Nommez les grands Espagnols, les grands Italiens, les grands
Flamands, les grands Hollandais dont nous trouvons des tableaux
au Louvre.

Quels chefs-d'œuvre en avez-vous jamais vus ?

Veuillez en donner quelques détails.

Quel est le grand peintre de l'épopée Napoléonienne ?

Vous rappelez-vous avoir vu un de ses tableaux ?   Expliquez.

Le ballon dirigeable.   Page 64.

Qu'est-ce que les touristes firent ?

Comment mon ami décrivit-il le ballon ?

Quelles sont les couleurs nationales de la France ?

En bateau sur la Seine.   Page 65.

Consultez la carte et tracez le cours de la Seine.

Quelle en est à peu près la largeur à Paris ?

Comment le fleuve a-t-il été embelli ?

De quel peuple les Français ont-ils hérité leur goût du beau ?

Où trouve-t-on les plus beaux monuments de ce peuple ancien ?

Les pêcheurs de la Seine.   Page 67.

Quels individus remarquions-nous le long de la Seine ?   Que firent-ils ?

Que font les pêcheurs aux États-Unis ?

Quelle différence y a-t-il entre ceux-ci et les pêcheurs français ?

L'armée française.   Page 71.

Quel était l'uniforme des soldats français ?

Cet uniforme a-t-il beaucoup changé depuis ?   Expliquez.

Que font les Français lorsqu'ils voient passer le drapeau ?

Que pensez-vous de cette coutume ?

Le tombeau de Napoléon.   Page 76.

Où pouvez-vous lire le nom de Napoléon ?

Donnez une idée du Dôme des Invalides.

Qui visite le tombeau de Napoléon ?

Qui furent les ennemis de l'empereur ?

Quel est le nom de sa dernière bataille ?

Dans quel pays trouve-t-on le village où eut lieu la bataille.

En prison. I. Page 78.

En quoi consiste le système stellaire ?

Dites quels articles on trouve dans les cellules.

Quelle différence y a-t-il entre la mise en accusation en France et en Amérique ?

L'avocat français a-t-il libre accès à la prison ?   Expliquez.

En prison. II. Page 80.

Les cellules sont-elles noires, mal aérées ?

Quel effet la prison bien aérée, bien éclairée a-t-elle sur le prisonnier ?

Pourquoi mon ami offrit-il ses compliments au chef de la prison ?

La bibliothèque de la prison. Page 82.

Donnez une idée des promenoirs.

Combien de livres donne-t-on aux prisonniers par semaine ?

En cas de bonne conduite, combien de livres leur permet-on ?

Quels sont les ouvrages que les prisonniers préfèrent ? Pouvez-vous dire pourquoi ?

Versailles. Page 83.

Quel surnom donna-t-on à Louis XIV ?   Pourquoi ?

Pourquoi bâtit-il son palais à Versailles ?

Quelle est l'idée que les paysans se firent des rois et des reines?

Louis XVI et Marie Antoinette. Page 86.

Où étaient le roi et sa femme quand le peuple de Paris vinrent leur demander du pain ?

Racontez comment la reine se présenta à la foule.

Quel auteur anglais a écrit une histoire de la Révolution ?

Les jardins du roi. Page 89.

Donnez une idée des jardins du roi.

Pour qui semblent-ils créés ?

Où le roi et ses courtisans allaient-ils entendre les concerts ?

Qui étaient assis près de nous ?

De quoi ces deux personnes causaient-elles ?

Le marché de Granville. Page 92.

À quelle heure commencent les marchés en France ?

Qui apporte et qui vend les marchandises ?

Quels légumes étaient mis en vente ?

Comment se fait la salade française ?

Les Français et les Américains aiment-ils les fleurs ?   Où les mettent-ils ?

Potterie de Badajoz. Page 96.

Que voyez-vous dans la rue de Granville ?

Qui accompagnait Muñido ?

D'où étaient-ils venus ?

Que dit Muñido après que son portrait fut pris ?

Où est-il à présent ?

Les blanchisseuses. Page 100.

Quelle est la différence entre la blanchisseuse française et celle du Sud des États-Unis ?

Qu'est-ce que les femmes faisaient au bord du fleuve ?

Qu'est-ce que fit la grande rousse ?

Que peuvent-elles gagner par jour ?   Est-ce beaucoup ?

Les femmes avaient-elles l'air tristes ?

Le Mont Saint-Michel. I. La grève. Page 103.

Où se trouve le Mont Saint-Michel ?

Cette montagne faisait-elle partie de la terre ferme aux temps anciens ?

Quelle espèce de terrain sépare à présent le Mont Saint-Michel de la Normandie ?

Y a-t-il du danger pour les voyageurs qui désirent traverser ce terrain ?

Pourquoi ?

Le Mont Saint-Michel. II. Le guide. Page 106.

Comment se fait de nos jours le trajet de Genêt au Mont Saint-Michel ?

Qui précédait la voiture ? Pourquoi ?

Quels cours d'eau vîmes-nous sur les sables ?

Que fit le guide lorsqu'il s'approcha de ces rivières ?

Depuis quand cet homme sert-il de guide aux voyageurs ? En quelles saisons ?

Le Mont Saint-Michel. III. La ville et le monastère. Page 107.

Qui bâtirent le monastère ? Quand ?

Quelles rues et quelles maisons trouve-t-on dans la ville ?

Quel bâtiment moderne jure avec les maisons anciennes ?

Racontez l'histoire de Montgomery et des Huguenots.

Le Mont Saint-Michel. IV. Le monastère. Page 109.

Où sont les moines qui jadis occupaient ce monastère ?

Qui les a remplacés ?

Donnez une idée de la salle des chevaliers.

Quelle était la coutume des moines avant de se mettre à table ?

Que savez-vous des prisons du monastère ?

Les moines étaient-ils charitables ? Expliquez comment.

Le pays et ses habitants. Page 112.

Quelle différence y a-t-il entre les Bretons et les Normands ?

Quelle est la langue des Bretons ?

Portent-ils la mode de Paris ?

Donnez une idée de leur costume national.

Le pardon de Guingamp Page 116.

Quelle est la fête religieuse de la Bretagne ?

Qui y va ?

Qui marche dans la procession ?

Que font-ils en marchant ?

À la foire. Page 119.

Quelle espèce de musique entendions-nous sur la place publique de Guingamp ?

Qu'est-ce que mon ami en pensa ?

Quel groupe y avait-il sur la plate-forme ?

En quels mots invita-t-il les gens à entrer ?

Merveilles foraines. Page 120.

Quelles étaient les merveilles foraines ?

Où en avez-vous vu de semblables aux États-Unis ?

Quel terrible tableau était suspendu au haut d'une baraque ?

Combien pèse un rat américain ?

Combien le rat d'égout pesait-il ?

À Terre-Neuve. Page 123.

Les pêcheurs sont-ils toujours seuls en mer ?   Comment peuvent-ils communiquer avec leurs familles ?

Que fait-on des pêcheurs malades ?

En Islande. Page 124.

Quels obstacles se présentent aux croisières dans la mer du Nord ?

Les Français de Notre Dame de la Mer furent-ils bien reçus à Aberdeen en 1914 ? Expliquez.

Le navire-hôpital a-t-il un médecin à bord ? Une pharmacie ? Que fait le docteur ?

Au château de Blois. I. Page 124.

Dans quelle partie de la France trouvons-nous la ville de Blois ?

Pourquoi cette ville est-elle célèbre ?

La salle d'entrée est-elle agréable ? Pourquoi pas ?

Que voit-on autour de la cour ?

Où mon ami était-il assis lorsque la femme l'appela ?

Que répondit-il ?

Le château de Blois. II. Page 127.

Quelle différence y a-t-il entre le château de Blois et celui de Versailles ?

Avez-vous jamais vu une salamandre ? Quelle est la réputation de cet animal ?

Histoire d'un crime. Page 128.

Qui était le duc de Guise ?

Qui était Henri III ?

Où mourut le duc de Guise ?

Racontez comment il fut tué.

À bicyclette. Page 130.

Qui étaient les voyageurs assis à table avec nous ?

Comment voyageaient-ils ?

Y a-t-il beaucoup d'Américains qui font le tour de la France à bicyclette ?

Pourquoi ces voyages sont-ils si faciles ?

Le Jardin de la France. II. Page 134.

Quelle est la superficie des champs dans la Touraine ?

Peut-on faire de l'argent dans ce pays ?

Quels produits les fermiers expédient-ils en Angleterre, et pour quelle valeur ?

Que font les paysans avec les moindres branches ?

Au Coin du Feu. Page 136.

Comment la bonne femme nous reçut-elle ?

Donnez une idée de l'appartement.

Quels portraits y avait-il ?   Les trouve-t-on chez nous ?

Pourquoi la femme ne voulut-elle pas accepter l'argent de l'Anglais ?

Chambord. Page 138.

Y a-t-il beaucoup de châteaux en France ?

Où les trouve-t-on ?

Comment se font les chasses dans le parc de Chambord ?

Aimeriez-vous une partie de chasse pareille ?

Le guide et le château. Page 142.

Quelle différence y avait-il entre le guide de Chambord et celui que nous trouvions au Mont Saint-Michel ?

Quelle impression le château fit-il sur les voyageurs ?   Pourquoi ?

Qui était Molière ?

Qu'y a-t-il de particulier dans une des salles ?

Vers le midi. Page 146.

Dites qui étaient nos compagnons de voyage.

Énumérez les articles que la bonne famille emporta avec elle.

Où était le propriétaire de tous ces articles ?

Que faisaient sa femme et sa fille ?

Que faisait mon ami ?

Vers le midi. Les " ripères." Page 148.

Quel accident réveilla toute la compagnie ?

Les Français commencent-ils à faire usage des machines américaines ? Expliquez.

Les Américains sont-ils bien vus en France ?

Quel Français est venu nous aider pendant la Révolution contre l'Angleterre ?

Quels explorateurs français se distinguèrent au commencement de notre histoire ?

Les Pyrénées. Page 152.

Quel contraste y avait-il entre l'air du train et celui des Pyrénées ?

Donnez une idée de la fraîcheur de cet air.

Quelles montagnes américaines ressemblent à celles des Pyrénées ?

Quel autre pays est célèbre pour ses belles montagnes ?

Autour de la cascade. Page 155.

Où est la cascade Sidonie ?

Montrez comment la bonne femme était sympathique.

Quel aimable monsieur nous addressa la parole ?

Racontez l'histoire du petit pâtre et de ses chèvres.

Le quatorze juillet aux Pyrénées. Page 157.

Quelle est la fête nationale de la France ?

Racontez comment eut lieu cette fête à Luchon.

La Tauromachie. Page 161.

Où est Lunel ?

Qu'est-ce qui nous y amena ?

Faites la description de la scène de la tauromachie.

Quel homme extraordinaire vint se placer près de nous ? De quoi était-il armé ?

Connaissez-vous l'histoire de Roland ?   Racontez-la.
Qui était Didon ?
Que font les hommes qui sont restés dans la lice ?
Faut-il du courage pour s'amuser de cette façon ?

Aigues-Mortes. Page 165.
Racontez l'histoire d'Aigues-Mortes.
Pourquoi cette ville vaut-elle une visite ?

Aux bords de la mer Méditerranée. Page 170.
Quel beau rêve se réalisa pour mon compagnon ?
Donnez une idée des bords de la mer.
Pourquoi la Méditerranée produit-elle tant de poètes ?
Avez-vous l'envie de faire une promenade dans ce beau pays ?
Comment cela se pourrait-il ?

Panem et circenses. Page 172.
Dans quelle partie de la France trouve-t-on le plus de reliques romaines ?
Quel monument remarquable se voit encore à Nîmes ?
Qui venaient jadis se battre dans cette arène ?
Les Chrétiens y furent-ils martyrisés ?

Le dernier chapitre. Page 173.
Examinez attentivement la photographie de la Maison Carrée de Nîmes.
Comparez-la avec celle de la Madeleine, page 38.   Quelle ressemblance trouvez-vous dans ces deux monuments ?
Quelle autre ruine remarquable trouvons-nous à Nîmes ? Donnez-en quelques détails.
Aimez-vous la France ?   Irez-vous la visiter un jour ?

VOCABULARY

à, *prep.*, at, to, from, with, on.

a, *pres. 3d sing. of* avoir, to have.

abandonner, to abandon, to forsake, to leave.

abattoir, *m.*, slaughter-house.

abattre, to cut down, to kill, to strike; to take down; s'—, to come down, to fall.

abbaye, *f.*, abbey.

abbé, *m.*, abbot, clergyman. (*In the latter sense, title given to any clergyman, whether in writing or in address.*)

abhorrer, to abhor.

abîme, *m.*, abyss.

abîmer, to destroy, to spoil.

abominable, abominable.

abomination, *f.*, abomination.

abondamment, abundantly.

abondant, -e, abundant.

abord, *m.*, approach; d'—, at first.

aborder, to land, to come to.

aboutir, to end.

abri, *m.*, shelter.

abriter, to shelter.

absence, *f.*, absence.

absolument, absolutely.

absorber, to absorb.

accent, *m.*, accent.

accepter, to accept.

accès, *m.*, access, approach.

accident, *m.*, accident, misfortune.

accompagner, to accompany.

accord, *m.*, accord, agreement, harmony; d'—, agreed.

s'accouder, to lean on the elbow.

accoutumer, to accustom; s'—, to accustom oneself.

accueil, *m.*, reception.

s'accumuler, to accumulate.

s'acharner, to be infuriated.

achat, *m.*, purchase.

s'acheminer, to journey.

acheter, to buy.

acheteur, *m.*, buyer; acheteuse, *f.*, buyer.

achever, to finish, to end.

acquérir, to acquire.

acquis, *past part. of* acquérir.

acre, *f.*, acre.

âcre, *adj.*, sharp.

acte, *m.*, act, deed.

acteur, *m.*, actor.

actif, active, active.

actuellement, actually, just now.

adieu, *m.*, farewell.

admirable, admirable.

admirablement, admirably.

admiration, *f.*, admiration.

admirer, to admire.

admis, -e, admitted.

1

adresse, *f.*, address.
s'adresser, to address.
adulte, *m. or f.*, adult.
adversaire, *m. or f.*, opponent, adversary.
aérer, to air.
affaire, *f.*, affair, design; *pl.*, business.
affairé, −e, busy.
afficher, to post.
affluent, *m.*, tributary stream.
affluer, to come.
affreux, affreuse, frightful, hideous.
affût, *m.*, stand; à l'—, on the watch for.
Africain, *m.*, −e, *f.* African.
africain, −e, *adj.*, African.
Afrique, *f.*, Africa.
agaçant, −e, provoking.
agacer, to provoke.
âge, *m.*, age.
âgé, −e, old; le plus —, the oldest.
agenouillé, −e, *adj.*, kneeling.
s'agenouiller, to kneel down.
agent, *m.*, policeman; agent; officer.
aggresseur, *m.*, aggressor.
agile, swift, nimble.
agité, −e, upset, rough.
agiter *or* s'—, to shake, to move.
agréable, *adj. or m.*, agreeable.
agricole, agricultural.
ah ! ah ! oh !
aider, to help.
aient, *pres. subj. of* avoir.
aigre, sour.
Aigues-Mortes, town in the south of France.
aile, *f.*, wing.

ailé, −e, *adj.*, winged.
aille, ailles, aille, . . . aillent, *pres. subj. of* aller, to go.
ailleurs, elsewhere; d'—, furthermore.
aimable, kind.
aimé, −e, *adj.*, beloved.
aimer, to love, to like.
ainsi, thus.
aise, *f.*, ease, comfort.
air, *m.*, air, manner; le grand —, (the) out-doors.
ajouter, to add; s'—, to add oneself.
alarme, *f.*, alarm.
albâtre, *m.*, alabaster.
album, *m.*, album.
aligner, to line up.
allée, *f.*, walk, promenade.
allégorique, allegorical.
allègre, *adj.*, quick.
allègrement, lightly.
Allemagne, *f.*, Germany.
Allemand, *m.*, −e, *f.*, German.
allemand, −e, *adj.*, German.
aller, to go; become; one way; s'en —, to go (away).
allonger, to lengthen; s'—, to stretch.
allumer, to light, to kindle.
allumette, *f.*, match.
allure, *f.*, gait, way of walking.
alors, *adv.*, then.
alphabet, *m.*, alphabet.
Alsace, *f.*, Alsace.
amabilité, *f.*, kindness.
âme, *f.*, soul, life.
améliorer, to better; s'—, to get better.
aménager, to arrange.
amener, to lead, to bring.

amende, *f.*, amend, apology.

Américain, *m.*, –e, *f.*, American.

américain, –e, *adj.*, American.

Amérique, *f.*, America, the United States.

ami, *m.*, –e, *f.*, friend.

amitié, *f.*, friendship.

amour, *m.*, love.

amoureux, *m.*, lover.

amphithéâtre, *m.*, amphitheater.

amuser, to amuse; s'—, to have a good time.

an, *m.*, year.

Anabase, *m.*, Anabasis.

ancêtre, *m.*, ancestor.

ancien, –ne, ancient, old, former.

âne, *m.*, donkey.

ange, *m.*, angel.

Anglais, *m.*, Englishman.

anglais, –e, *adj.*, English; *m.*, English (language).

Angleterre, *f.*, England.

anguille, *f.*, eel.

animal, *m.*, animal.

annales, *f.*, annals.

année, *f.*, year.

annihiler, annihilate.

anniversaire, *m.*, anniversary.

annoncer, to announce.

annuel, –le, annual.

antique, ancient, old.

apaiser, to appease.

apercevoir, to perceive, to see; s'— de, to see.

apogée, *m.*, summit, top.

apparaître, to appear.

apparence, *f.*, appearance.

appareil, *m.*, apparatus.

appareillé, –e, *adj.*, fitted out.

apparent, –e, *adj.*, visible.

apparition, *f.*, appearance.

appartement, *m.*, apartment, room.

appartenir, to appertain, to belong.

appartiens, appartient, appartiennent, *pres. indic. of* appartenir.

appeler, to call; s'—, to be called.

applaudir, to applaud.

applaudissement, *m.*, applause.

s'appliquer, to fall.

apporter, to bring, to furnish.

apprécier, to appreciate.

apprendre, to learn; — à, to teach.

après, after.

après-midi, *m. or f.*, afternoon.

apprêter, to prepare; s'—, to make oneself ready.

approcher, to come near, to approach; s'—, to go *or* to come nearer; s'— de, to go to.

approuver, to approve.

aqueduc, *m.*, aqueduct, waterworks.

arbitraire, arbitrary.

arborer, to hoist.

arbre, *m.*, tree.

arc, *m.*, bow; arc-en-ciel, *m.*, rainbow; arc de triomphe, triumphal arch.

arche, *f.*, arch.

archéologie, *f.*, archeology.

archéologue, *m.*, archeologist.

archer, *m.*, archer.

architecte, *m.*, architect.

architecture, *f.*, architecture.
ardent, ardent, burning.
ardoise, *f.*, slate.
arène, *f.*, arena.
argent, *m.*, silver, money.
argenté, −e, silvery.
arithmétique, *f.*, arithmetic.
aristocrate, *m.*, aristocrat.
aristocratique, *adj.*, aristocratic.
arme, *f.*, arm, weapon.
armé, −e, armed.
armée, *f.*, army.
Arménie, *f.*, Armenia.
armoire, *f.*, wardrobe, press.
arracher, to snatch, to pull.
arranger, to arrange.
arrestation, *f.*, arrest.
arrêter, to stop; s'—, to stop.
arrière, back, backwards.
arrivée, *f.*, arrival.
arriver, to arrive, to be coming;
to happen; to reach the goal.
art, *m.*, art.
article, *m.*, article.
artillerie, *f.*, artillery.
artiste, *m.*, artist.
artistique, artistic.
ascension, *f.*, ascension, ascent.
ascète, *m.*, ascetic.
asperge, *f.*, asparagus.
assaillant, *m.*, assailant, aggressor.
assassinat, *m.*, murder.
assassiner, to assassinate, to murder.
assaut, *m.*, assault.
assembler, to assemble.
s'asseoir, to seat oneself, to sit down.
assez, enough.

assieds, *see* s'asseoir.
assiéger, to besiege.
assiette, *f.*, plate.
assis, −e, seated.
assistance, *f.*, assistance.
assister, to assist; be to present.
assortiment, *m.*, assortment.
assurément, assuredly, certainly.
assurer, to assure.
asthmatique, asthmatic.
Athènes, Athens.
Athénien, *m.*, Athenian.
athlète, *m.*, athlete.
atroce, atrocious.
attacher, to attach, to tie to, to fix to; s'—, to become attached to.
attaque, *f.*, attack.
attaquer, to attack.
attardé, −e, *adj.*, belated.
s'attarder, to delay.
atteindre, to attain, to reach.
atteinte, *f.*, reach; porter —, to hurt, to destroy.
attelé, −e, *adj.*, harnessed.
attendre, to wait; s'— *or* s'— à, to expect.
attente, *f.*, waiting.
attention, *f.*, attention; *interj.*, ready!
attentivement, attentively.
attester, to testify to.
attirer, to draw, to call, to attract.
attraper, to catch.
au, *contraction of* à le, to the.
aucun, −e, *adj. and pron.*, no one, not any.
au-delà, *adv.*, beyond; — de, *prep.*, beyond.

au-devant de, *prep.*, toward.
au-dessous, beneath, under.
au-dessus, above.
auditoire, *m.*, audience.
augmenter, to augment, to increase.
aujourd'hui, to-day.
aumône, *f.*, alms.
aumônerie, *f.*, almonry.
auparavant, before.
auprès *or* — **de**, near by, close to; for.
auquel, to whom.
aurais, aurais, aurait, aurions, auriez, auraient, *condit. of* avoir, to have.
au revoir, *m.*, good-by.
aurore, *f.*, dawn.
aussi, also.
aussitôt, *adv.*, immediately; — **que**, as soon as.
autant, as much, as many; so much, so many; the; **d'**— **plus**, the more so.
autel, *m.*, altar.
auteur, *m.*, author.
automne, *m.*, fall, autumn.
automobile, *f.*, automobile.
autorité, *f.*, authority, law.
autour, *adv., or* — **de**, *prep.*, around.
autre, *adj. or pron.*, other.
autrefois, formerly, long ago.
aux, *contraction of* à les, to the.
avancé, -e, *adj.*, late.
s'avancer, to advance, to project.
avant, before.
avantage, *m.*, advantage.
avantageux, advantageous.
ave (*Latin*), hail!

avec, with.
s'aventurer, to risk, to venture.
aventurier, *m.*, adventurer.
aventurière, *f.*, adventurer.
avertir, to tell, to notify.
s'aviser, to take into one's head.
avocat, *m.*, lawyer.
avoir, to have; **il y a**, there is, there are; ago.
avoisiner, to be next to, to border on.
avouer, to confess, to avow.
ayant, *pres. part. of* avoir.
azur, *m.*, azure.

Babel, *m.*, Babel.
babil, *m.*, babble, idle talk.
Babylonie, *f.*, Babylonia.
Badajoz, a province of Spain.
bagage, *m.*, *often in pl.*, baggage.
baguette, *f.*, wand.
baigner, to bathe.
bain, *m.*, bath.
baïonette, *f.*, bayonet.
baiser, *m.*, kiss.
baiser, to kiss.
baissée, *f.*, ebb.
baisser, to lower; **se** —, to bend.
balancer, to balance.
balcon, *m.*, balcony.
ballade, *f.*, ballad.
balle, *f.*, ball.
ballon, *m*, balloon.
balustrade, *f.*, railing.
banc, *m.*, bench, bank.
bande, *f.*, band, crowd.
bandelette, *f.*, ribbon.
bannière, *f.*, banner.

baraque, *f.*, tent.
barbarie, *f.*, barbarity; orgues de —, barrel organs, hand organs.
barbe, *f.*, beard.
barbier, *m.*, barber.
baril, *m.*, barrel.
barque, *f.*, skiff, boat.
barquette, *f.*, boat.
barre, *f.*, bar.
barrer, to prevent.
barricade, *f.*, barricade.
barrière, *f.*, barrier.
bas, au —, at the bottom.
bas, –se, low; *m.*, lower part.
basané, sunburnt, bronzed.
base, *f.*, base, lower part.
basé, –e, based.
basse-cour, *f.*, back-yard, chicken-yard.
bassin, *m.*, basin.
Bastille, *f.*, Bastile.
bataille, *f.*, battle.
bateau, *m.*, ship; deck; — -mouche, ferry-boat; — de pêche, fishing-boat; — à vapeur, steamboat.
bâtiment, *m.*, building, boat.
bâtir, to build.
bâton, *m.*, stick.
battant, *m.*, clapper.
battoir, *m.*, paddle board *or* stick, *for beating washing.*
battre, to beat; se —, to fight.
beau, bel, belle, *adj.*, beautiful, handsome; *noun m.*, (the) beautiful; faire —, to be clear (weather).
beaucoup, much, many.
beauté, *f.*, beauty.
bébé, *m.*, baby.

bec, *m.*, beak.
bel, belle, *see* beau.
belge, *adj.*, Belgian.
Belge, *m.*, Belgian.
bénédiction, *f.*, blessing.
bénir, to bless.
bercer, to rock; se —, to float.
béret, *m.*, cap.
berger, *m.*, shepherd; bergère, shepherdess.
besogne, *f.*, task.
besoin, *m.*, need.
bête, *f.*, beast, animal.
béton, *m.*, concrete.
bibliothèque, *f.*, library.
bicyclette, *f.*, bicycle.
bien, well, very; wide; of course; — de, many; *noun m.*, good.
bien-aimé, –e, *adj.*, beloved.
bienfait, *m.*, blessing.
bientôt, soon.
bienvenu, –e, welcome; *m.*, favored person.
bienvenue, *f.*, welcome; souhaiter la —, to welcome a person.
bifteck, *m.*, beefsteak.
billet, *m.*, ticket.
bison, *m.*, bison, buffalo.
blanc, blanche, white; *noun m.*, white.
blanchi, –e, whitewashed; *noun f.*, white one.
blanchisseuse, *f.*, laundress.
blé, *m.*, wheat.
bleu, –e, blue.
bleuâtre, bluish.
bloc, *m.*, block.
blouse, *f.*, blouse; a long linen garment, worn over the usual clothes.

bœuf, *m.*, ox.
boire, to drink.
bois, *m.*, wood; forest.
boisé, wooded.
boisson, *f.*, drink.
boîte, *f.*, box.
bol, *m.*, bowl.
bon, –ne, good, kind.
bond, *m.*, bound, leap.
bondé, filled up completely.
bondir, to leap.
bonheur, *m.*, happiness, good fortune.
bonnet, *m.*, bonnet, hat.
bonsoir, *m.*, good evening.
bonté, *f.*, kindness.
bord, *m.*, shore, bank; board, edge; à —, on·board.
border, to border, to line.
borne, *f.*, limit.
borner, to confine.
botte, *f.*, boot.
bouche, *f.*, mouth, lips.
boucherie, *f.*, butcher-shop.
boue, *f.*, mud.
bouger, to budge.
boulevard, *m.*, boulevard.
bouleverser, to upset.
bouquet, *m.*, bouquet.
bourdon, *m.*, big bell.
bourgeois, *m.*, burgher, citizen.
bourrer, to fill, to load, to stuff.
bourrico, *m.*, little donkey, burro.
bourse, *f.*, purse; stock-exchange.
bout, *m.*, end; little piece.
boutonnière, *f.*, buttonhole.
braise, *f.*, charcoal.
branche, *f.*, branch.

bras, *m.*, arm.
brasier, *m.*, charcoal-stove.
brave, brave, kind, good.
bravo, *interj.*, bravo.
bref, brève, brief, short.
Bretagne, *f.*, Britanny.
Breton, –ne, *m. or f.*, an inhabitant of Bretagne.
breton, –ne, *adj.*, pertaining to Bretagne.
briller, to shine.
brise, *f.*, breeze.
briser, to crush, to break.
brodé, –e, embroidered.
bronze, *m.*, bronze.
brosse, *f.*, brush.
brosser, to brush.
broussailles, *f. pl.*, brush.
brouter, to graze.
bruit, *m.*, noise.
brûler, to burn.
brume, *f.*, fog, haze.
brusque, brusque, rough.
bu, *past. part. of* **boire**, to drink.
bûcher, *m.*, pyre.
bucolique, *adj.*, rustic.
buffle, *m.*, buffalo.
bureau, *m.*, office.
buste, *m.*, bust.
but, *m.*, end, goal, purpose.
buvais, buvait, buvions, buvaient, *imp. ind. of* **boire**, to drink.

ça, *adv.*, here.
cabane, *f.*, hut.
cabine, *f.*, cabin; **garçon de** —, steward.
cabinet, *m.*, closet; study.
cacher, to hide.
cachet, *m.*, stamp; seal.

cadavre, *m.*, corpse.
cadence, *f.*, cadence.
cadre, *m.*, frame, roll of officers.
café, *m.*, coffee; coffee-house.
cage, *f.*, cage.
caisse, *f.*, box.
calice, *m.*, chalice, cup.
calme, *m. or adj.*, calm.
calotte, *f.*, cap, *small and round with no visor.*
Calvaire, *m.*, Calvary; shrine.
camarade, *m.*, comrade.
campagnard, *m.*, peasant; campagnarde, *f.*, peasant-woman.
campagne, *f.*, country; campaign.
canal, *m.*, canal.
canard, *m.*, duck.
candélabre, *m.*, chandelier.
canon, *m.*, cannon.
cantique, *m.*, hymn.
canto (*Italian*), *m.*, canto, part of a book.
canton, *m.*, canton, a political subdivision of a province.
cantonnier, *m.*, road-overseer.
capitaine, *m.*, captain.
capitale, *f.*, capital.
capricieux, capricieuse, whimsical.
captivité, *f.*, captivity.
capturé, captured.
car, because, for.
caractère, *m.*, character.
caractériser, to characterize.
carafe, *f.*, water- *or* wine-bottle.
caravane, *f.*, caravan.
cardinal, *m.*, cardinal.
caresser, to pet.

caricature, *f.*, caricature.
caricaturer, to caricature.
carnet, *m.*, note-book.
Caroline, *f.*, Carolina.
carotte, *f.*, carrot.
carré, -e, square.
carrefour, *m.*, cross-road.
carrière, *f.*, career; quarry.
carrousel, *m.*, merry-go-round.
carte, *f.*, card, list; map.
carte-souvenir, *f.*, souvenir-card.
carton, *m.*, pasteboard, box.
cas, *m.*, case; en tout —, at any rate.
cascade, *f.*, cascade, water-fall.
caserne, *f.*, barracks.
casino, *m.*, casino.
casque, *m.*, helmet.
casquette, *f.*, cap.
cassé, -e, *adj.*, cracked.
casser, to break.
Catalogne, *f.*, Catalonia, province of Spain.
cataracte, *f.*, deluge, water-fall.
catastrophe, *f.*, catastrophe.
cathédrale, *f.*, cathedral.
cause, *f.*, cause, reason; à —, because.
causer, to talk; to cause.
cavalerie, *f.*, cavalry.
cavalier, *m.*, rider, horseman.
caverne, *f.*, cave.
ce, cet, ces, this, these, they. (*Used with masculine nouns.*)
ceci, this.
céder, to yield.
ceint, girded.

ceinture, *f.*, girdle; **mur de —,** wall surrounding a town.

cela, that.

célébration, *f.*, celebration.

célèbre, celebrated.

célébrer, to celebrate.

celle, *pron., see* **celui.**

cellulaire, *adj.*, in cells.

cellule, *f.*, cell.

celui, celle, *pl.* **ceux, celles,** the one, he, that.

celui-ci, this one, he, the latter; **celui-là,** that one.

cendre, *f.*, ashes, cinders.

cent, hundred.

centaine, *f.*, hundred.

centime, *m.*, centime (money).

central, –e, *adj.*, central.

centre, *m.*, center.

cependant, nevertheless, now.

cerceuil, *m.*, coffin.

cercle, *m.*, circle.

cérémonie, *f.*, ceremony.

cerf, *m.*, stag, deer.

cerise, *f.*, cherry.

cerisier, *m.*, cherry-tree.

certain, –e, certain.

certainement, certainly.

cesser, to cease.

c'est-à-dire, that is to say.

cet, *see* **ce.**

cette, ces, this, these. (*Used with feminine nouns.*)

ceux-ci, these, they, the latter; **ceux-là,** those.

chacun, –e, *pron.*, each, every-body.

chaise, *f.*, chair.

chaleur, *f.*, warmth, heat.

chaloupe, *f.*, row-boat, skiff, shallop, *generally used as a tender to a larger craft.*

chambre, *f.*, room; **— à coucher,** bedroom; **femme de —,** chambermaid; **Chambre des Deputés,** House of Deputies, seat of the French Legislature.

champ, *m.*, field.

champêtre, rural.

chance, *f.*, chance, opportunity; luck.

chancelier, *m.*, chancellor.

chandelier, *m.*, chandelier.

chandelle, *f.*, candle.

changer, to change.

chanson, *f.*, song.

chant, *m.*, song.

chanter, to sing.

chapeau, *m.*, hat.

chapelain, *m.*, chaplain.

chapelier, *m.*, hatter, seller of hats.

chapelle, *f.*, chapel.

chapitre, *m.*, chapter.

chaque, each.

char, *m.*, chariot; carriage, wagon.

char-à-bancs, *m.*, omnibus.

charbon, *m.*, coal, charcoal.

charbonner, to coal.

charge, *f.*, charge.

charger, to load; to instruct; **se — de,** to be intrusted with.

chariot, *m.*, wagon.

charitable, charitable.

charité, *f.*, charity.

charmant, –e, charming.

charme, *m.*, charm.

charpente, *f.*, woodwork.

charrette, *f.*, wagon, cart.

charrue, *f.*, plow.

chasse, *f.*, hunt.

chasser, to hunt, to drive away.

chasseur, *m.*, huntsman; errand-boy.

château, *m.*, castle.

Châtelet, a former prison of Paris by that name.

chaud, –e, warm.

chauffer, to warm.

chauffeur, *m.*, stoker; chauffeur.

chaume, *m.*, thatch.

chaumière, *f.*, hut.

chaussé, –e, *adj.*, shod.

chaussée, *f.*, highway.

chef, *m.*, chief, head, head cook, chef; — d'œuvre, *m.*, masterpiece.

chemin, *m.*, road; — de fer, railroad.

cheminée, *f.*, chimney.

chêne, *m.*, oak.

chèque, *m.*, check.

cher, chère, dear, expensive.

chercher, to seek, to hunt, to try.

cheval, *m.*, horse; — de boucherie, horse to be eaten.

chevalier, *m.*, knight.

chevaline, pertaining to the horse; boucherie —, *f.*, horsemeat-market.

cheveu, *m.*, *usually in pl.*, hair.

chevreuil, *m.*, deer.

chèvre, *f.*, goat.

chez, at; *in such expressions as* chez moi, chez nous, at my home, at our home.

chien, *m.*, dog.

chimère, *f.*, chimera; gargoyle.

chimique, chemical.

Chine, *f.*, China.

chocolat, *m.*, chocolate.

choisir, to choose.

choquer, to spoil.

chose, *f.*, thing.

chou, *m.*, cabbage.

chrétien, *m.*, Christian.

Christ, *m.*, Christ; christ, *m.*, crucifix.

chute, *f.*, fall.

Cicéron, *m.*, Cicero.

cidre, *m.*, cider.

ciel, *pl.* cieux, *m.*, heaven, sky.

cierge, *m.*, candle.

cigare, *m.*, cigar.

cigarette, *f.*, cigarette.

cime, *f.*, top, summit.

ciment, *m.*, cement.

cimetière, *m.*, cemetery.

cinq, five.

cinquante, fifty.

cinquantaine, *f.*, four or five dozen.

cinquantième, fiftieth.

circonférence, *f.*, circumference.

circulaire, circular.

cirque, *m.*, circus.

citadelle, *f.*, citadel.

citadin, *m.*, townsman.

citoyen, *m.*, citizen.

civil, –e, polite.

civilisation, *f.*, civilization.

civiliser, to civilize.

clair, –e, clear, limpid, light.

clairement, clearly.

clairon, *m.*, trumpet; trumpeter.

claquer, to clap, to snap.

clarté, *f.*, light.

classe, *f.*, class.

classique, classical, classic.

clef, f., key.

client, m., -e, f., client, customer.

climat, m., climate.

clin, m., wink, twinkling.

cliqueter, to click.

cloche, f., bell.

clocher, m., steeple.

cloison, f., partition.

clou, m., nail.

cocarde, f., bow.

cocher, m., coachman.

cochon, m., pig.

cœur, m., heart.

cogner, to beat, to gesticulate.

coiffe, f., cap.

coiffé, -e, adj., covered.

coiffer, to put on the head; se — de, to wear on the head.

coiffeur, m., barber, haircutter.

coin, m., corner.

colis, m., package.

collection, f., collection.

collège, m., college.

colline, f., hill.

Cologne, Cologne, city in Germany.

colombe, f., pigeon.

colonie, f., colony.

colonnade, f., colonnade.

colonne, f., column, pillar.

colossal, -e, colossal.

combat, m., combat.

combien, how much, how many.

comble, m., top, height.

combler, to fill.

commander, to command, to order.

comme, as, when; like, as if.

commémoration, f., commemoration.

commencement, m., commencement, beginning.

commencer, to begin.

comment, how.

commentaire, m., commentary.

commerçant, m., tradesman, merchant, trader.

commercial, -e, adj., commercial.

commerce, m., commerce.

commère, f., crony.

commettre, to commit.

commis, past part. of commettre.

commissionaire, m., porter.

commun, -e, adj., common, mutual.

communiquer, to communicate, to tell; to pass, to hand.

compagne, f., companion.

compagnie, f., company.

compagnon, m., companion.

comparaison, f., comparison.

comparer, to compare.

compartiment, m., compartment.

compatriote, m., compatriot, fellow-countryman.

complet, complète, complete.

complètement, completely.

compléter, to complete.

compliment, m., compliment.

composer, to compose; se — de, to be of.

comprendre, to understand; se —, to be understood.

comprennent, 3d per. indic. pres. of comprendre.

compris, −e, understood.

compte, *m.*, account, bill.

compter, to count.

comte, *m.*, count.

conception, *f.*, conception.

concert, *m.*, concert, harmony ; coöperation.

concierge, *m. or f.*, doorkeeper.

Conciergerie, *f.*, name of a prison in Paris.

concorde, *f.*, harmony.

concurrent, *m.*, competitor.

condition, *f.*, condition.

conducteur, *m.*, conductor.

conduire, to lead, to take.

conduit, *past part. of* conduire.

conduite, *f.*, conduct.

conférence, *f.*, lecture.

confiance, *f.*, confidence.

confondre, confound ; se — en remerciements, to give most profuse thanks ; — avec, to mistake for.

confortablement, comfortably.

confrère, *m.*, fellow-member (of a society or of a profession), colleague.

confus, −e, *adj.*, confused.

congé, *m.*, furlough, discharge.

connaissance, *f.*, acquaintance, knowledge.

connaître, to know ; — à, to know about ; se —, to be expert, to be acquainted.

connu, −e, known.

conquérir, to conquer.

consacrer, to consecrate, to devote.

conséquent, *m.*, result ; par —, consequently.

conservation, *f.*, preservation.

conserver, to preserve.

considérablement, considerably.

considérer, to consider.

consigne, *f.*, pass-word.

consister, to consist.

consoler, to console.

constater, to establish, to ascertain.

constituer, to constitute.

construction, *f.*, construction, structure.

construire, to construct.

construit, −e, *past part. of* construire.

consultation, *f.*, consultation.

consulter, to consult.

contempler, to contemplate, to look at.

contemporain, −e, contemporaneous.

contenir, to contain, to hold.

content, −e, contented, pleased.

contentement, *m.*, contentment.

se contenter de, to be satisfied with.

continuellement, continually.

continuer, to continue.

contraire, contrary (to) ; au —, on the contrary.

contraste, *m.*, contrast.

contraster, to contrast.

contre, *prep.*, against, from.

contrebandier, *m.*, smuggler.

contribuer, to contribute.

convenances, *f. pl.*, proprieties, customs, accepted usage.

convenir, to become, to be becoming, to be proper.

converger, to converge.

conversation, *f.*, conversation.

convient, conviennent, *3d per. sing. and pl. pres. indic. of* convenir.

copier, to copy.

coq, *m.*, rooster.

coquet, –te, coquettish.

coquille, *f.*, shell.

coquillage, *m.*, shell.

corde, *f.*, string, rope.

cordial, –e, hearty.

cordialité, *f.*, cordiality.

cordonnier, *m.*, shoemaker.

corne, *m.*, horn.

corps, *m.*, body.

corridor, *m.*, hall.

corriger, to correct.

corrompre, to spoil.

Corse, *m.*, Corsican.

cortège, *m.*, procession.

costume, *m.*, dress, costume, suit, clothes.

côté, *m.*, side; à —, next, nearest; du — de, in the direction of; à mes —s, at my side.

côte, *f.*, coast.

coteau, *m.*, hill.

cou, *m.*, neck.

couche, *f.*, layer.

se coucher, to set (of the sun); to go to sleep; to lie down; **chambre à coucher,** bedroom.

coucher, *m.*, setting.

couchette, *f.*, berth, bunk, couch.

couler, to run.

couleur, *f.*, color.

couloir, *m.*, **passage**; run; walk.

coup, *m.*, blow, stroke, blast; — de canon, cannon shot; — d'œil, view, glance; — de main, twist; **donner un** — de main, lend a hand; — de tête, bite; **tout à** —, suddenly.

coupable, guilty.

coupe, *f.*, cut.

couper, to cut.

cour, *f.*, court (of a king); yard, court-yard.

courage, *m.*, courage.

courageux, courageuse, courageous.

courant, *m.*, current; — d'air, draft.

courber, to bend; se —, to bend oneself; — **la tête,** to stoop.

coureur, *m.*, runner.

courir, to run.

couronne, *f.*, crown.

couronner, to crown.

cours, *m.*, stream.

course, *f.*, race; fight; — aux œufs, egg race.

court, –e, short.

courtisan, *m.*, courtier.

courtois, –e, courteous.

courtoisie, *f.*, politeness.

cousin, *m.*, cousin; **cousine,** *f.*, cousin.

coussin, *m.*, cushion.

coûter, to cost.

coutume, *f.*, custom.

couvent, *m.*, convent.

couvert, *m.*, plate; **mettre le** —, to set the table.

couvert, –e, covered.

couverture, *f.*, blanket.
couvre-chef, *m.*, head-cover, hat, bonnet.
couvrir, to cover.
craie, *f.*, chalk.
craindre, to fear.
crainte, *f.*, fear.
crayon, *m.*, pencil.
création, *f.*, creation.
créatrice, creative.
créature, *f.*, creature.
créer, to create.
crème, *f.*, cream.
créneau, *m.*, battlement (of a tower).
crépitement, *m.*, cracking.
crête, *f.*, crest.
creuser, to dig, to wear out.
crever, to burst.
cri, *m.*, cry.
criailler, to rasp (of the voice).
crier, to cry, to shout.
crime, *m.*, crime.
criminel, criminelle, *adj.* or *noun*, *m.* or *f.*, criminal.
crin, *m.*, hair (of animals).
croire, to believe.
croisade, *f.*, crusade.
croisé, *m.*, crusader.
croiser, to cruise.
croisière, *f.*, cruise.
croître, to grow.
croix, *f.*, cross.
croyant, −e, *adj.*, faithful, devout.
cru, −e, *adj.*, raw.
cruel, cruelle, cruel.
crucifix, *m.*, crucifix.
crut, crurent, *perf. indic. of* croire, to believe.
crypte, *f.*, crypt.

cube, *m.*, cube; *adj.*, cubic.
cueillir, to gather.
cuillère, *f.*, *or* cuiller, *f.*, spoon.
cuillerée, à la —, by the spoonful.
cuir, *m.*, leather.
cuire, to cook.
cuirassier, *m.*, cuirassier.
cuisine, *f.*, kitchen; cooking.
cuisinière, *f.*, cook.
cuisse, *f.*, thigh.
cuivre, *m.*, copper.
culotte, *f.*, (knee) breeches, trousers.
culte, *m.*, worship.
cultiver, to cultivate.
curé, *m.*, parish priest.
curieux, curieuse, curious, strange; *m.*, interested person, idler.
curiosité, *f.*, curiosity.
cuve, *f.*, tub.
cyclone, *m.*, cyclone.
cylindre, *m.*, cylinder.

dactylographie, *f.*, typewriting.
daim, *m.*, deer.
dalle, *f.*, slab, tile.
dame, *f.*, lady.
damné, *m.*, damned, lost.
danger, *m.*, danger.
dangereux, −euse, dangerous.
danois, *m.*, Danish (language).
Danois, *m.*, Dane.
dans, in, into; for.
danse, *f.*, dance.
danser, to dance.
date, *f.*, date.
dater, to date.
de, of, from; on, in; as.

debout, standing, up; se tenir —, to stand up.

décidément, decidedly.

décider, or se —, to decide.

déclaration, f., declaration.

déclarer, to declare.

décomposer, to analyze.

se décomposer, to be divided.

décor, m., adornment.

décoration, f., decoration.

découper, to cut up, to separate.

découvert, past part. of découvrir.

découvrir, to discover.

décrire, to describe.

dédier, to dedicate.

déesse, f., goddess.

défaire, to undo, to loosen; se —, to get rid, to part.

défaite, f., defeat.

défaut, m., defect.

défendre, to defend; to forbid.

défendu, past part. of défendre, forbidden.

défenseur, m., defender

déférence, f., deference, courtesy.

défilé, m., defile, line.

défiler, to pass (by).

définir, to define.

définitivement, definitely.

dégringoler, to tumble down.

déguisement, m., disguise.

déguiser, to disguise.

dehors, outside.

déjà, already.

déjeuner, m., breakfast.

déjeuner, to breakfast.

délicat, -e, delicate, subtle.

délicatement, delicately.

délicatesse, f., delicacy.

délicieux, délicieuse, delicious.

demande, f., request.

demander, to ask, to ask for.

demain, to-morrow.

déménagement, m., moving-out.

demeure, f., dwelling, abode.

demeurer, to live at, to live in, to remain, to abide.

demi, -e, half.

demi-douzaine, f., half dozen.

demi-million, f., half a million.

démocrate, m., democrat.

démocratique, democratic.

demoiselle, f., (young) lady.

démolir, to demolish.

démolition, f., pulling down.

dent, f., tooth.

dentelle, f., lace.

départ, m., departure; point de —, starting place.

dépasser, to surpass, to outdistance.

dépêche, f., dispatch; Dépêche de Brest, the Brest Dispatch (a newspaper).

dépendre, to depend.

dépenser, to spend.

déplacement, m., displacement.

se déplacer, to go away, to travel, to shift.

déplorable, deplorable.

déployer, to unfold.

déposer, to lay down.

dépouille, f., remains.

dépouiller, to strip, to plunder; se —, to strip oneself.

depuis, since, for; — que, since.

dérailler, to run off the rails.

dernier, dernière, last.

derrière, *adv.*, behind; *noun, m.*, haunches.

des, of the; *see* le.

dès, since, from, with; —que, since.

désagréable, disagreeable.

désappointé, –e, *adj.*, disappointed.

désavantage, *m.*, disadvantage.

descendre, to descend, to come down, to fall; to stop at (hotel *or* town); — de, to leave.

descendu, –e, *past part. of* descendre.

description, *f.*, description.

désert, *m.*, desert.

désert, –e, *adj.*, deserted, empty.

désir, *m.*, desire.

désirer, to desire.

désireux, désireuse, desirous.

dessécher, to dry.

dessein, *m.*, plan, design.

desserrer les dents, to open one's jaws.

dessert, *m.*, dessert.

dessin, *m.*, drawing.

dessiner, to draw, to sketch.

dessous, beneath, under.

dessus, over, above.

destiner, to destine, to intend.

détacher, to radiate; se — sur, to stand out against.

détail, *m.*, detail.

détaler, to scamper away.

détention, *f.*, detention, arrest.

détonation, *f.*, detonation, the shooting-off of a gun.

détresse, *f.*, distress.

détruire, to destroy.

deuil, *m.*, mourning.

deux, two.

devancer, to get ahead of.

devant, before, in front of.

développement, *m.*, development, growth.

développer, to develop; se —, to grow.

devenir, to become.

devenu, *past part. of* devenir.

deviner, to guess.

devoir, to be obliged to, must, to owe.

dévoué, –e, *adj.*, devoted.

dévouement, *m.*, devotion, self-sacrifice.

se dévouer, to give oneself entirely (to).

devrais, devrais, devrait, devrions, devriez, devraient, *condit. of* devoir, I ought, you ought, *etc.*

dextre, *adj.*, right.

diable, *m.*, devil.

diadème, *m.*, diadem.

dialecte, *m.*, dialect.

diamètre, *m.*, diameter.

Diane, *f.*, Diana.

Didon, *f.*, Dido.

Dieu, *m.*, God.

différence, *f.*, difference.

différent, –e, different.

différer, to differ.

difficile, difficult.

difficulté, *f.*, difficulty.

digne, worthy.

dignité, *f.*, dignity.

dimanche, *m.*, Sunday.

dîner, *m.*, dinner.

dîner, to dine.

diplômé, *m.*, having obtained a diploma, licensed.

dire, to say; **se —**, to be used; **vouloir —**, to mean; *m.*, statement.

directeur, *m.*, director, warden.

directement, directly.

dirigeable, dirigible.

diriger, to direct; **se —**, to go.

dis, dis, dit, disons, dites, disent, *pres. indic. of* **dire**, to say.

disciple, *m.*, disciple.

discrètement, discreetly, quietly.

discuter, to discuss.

disparaître, to disappear.

disparition, *f.*, disappearance.

disparu, -e, disappeared.

dispenser, se —, to dispense with.

disperser, to scatter; **se —**, to scatter.

disposé, -e, *adj.*, arranged.

disposer, to dispose of, to place about; **se —**, to prepare oneself.

disposition, *f.*, disposition, disposal.

disputer, to dispute, to contend for.

disque, *m.*, disk.

disséminer, to disseminate; to hide.

dissimuler, to dissimulate.

distance, *f.*, distance.

distinctement, clearly.

distinctivement, distinctly.

distinction, *f.*, difference.

distingué, -e, *adj.*, distinguished.

distinguer, to distinguish.

distraction, *f.*, distraction.

distraire, to distract, to entertain.

distribuer, to distribute.

dit, *past part. of* **dire**, said.

divers, -e, diverse, various.

divertissement, *m.*, amusement.

divisé, -e, divided.

dix, ten.

dixième, *adj.*, tenth.

dizaine, *f.*, ten; **une —**, ten of . . .

docteur, *m.*, doctor.

document, *m.*, document.

doigt, *m.*, finger.

dois, dois, doit, devons, devez, doivent, *pres. indic. of* **devoir**, to be obliged to.

dollar, *m.*, dollar.

domaine, *m.*, domain.

dommage, *m.*, damage; **c'est —**, it's too bad.

dôme, *m.*, dome, church. (*Said usually of a church remarkable for its architecture or its age.*)

domestique, *m. or f.*, houseservant.

domestique, *adj.*, domestic, pertaining to the house.

dominer, to dominate, to rise above.

donc, consequently, therefore, then, to be sure.

donjon, *m.*, dungeon.

donner, to give; **— sur**, to open on; **se —**, to be given.

dont, of which, whose, whereof, of whom.

dorer, to gild.

dormir, to sleep.

dos, *m.*, back.

douane, *f.*, custom-house.

douanier, *m.*, customs-officer.

double, double.

douce, *f. adj.*, sweet, gentle, mild; *see* doux.

doucement, gently, softly, slowly.

douceur, *f.*, sweetness, gentleness, mildness.

doute, *m.*, doubt.

douter, to doubt; se —, to surmise, to suspect.

doux, douce, *adj.*, sweet, gentle, soft.

douzaine, *f.*, dozen.

douze, twelve.

douzième, *adj.*, twelfth.

drame, *m.*, drama.

drapeau, *m.*, flag.

dresser, to train, to erect; se —, to rise on one's feet; to draw oneself up; to be visible; to spread itself.

droit, –e, *adj.*, right, straight; à droite, to the right; *noun*, *m.*, right.

drôle, curious, strange.

du, *contraction of* de le, of the.

dû, *see* devoir.

duc, *m.*, duke.

duel, *m.*, duel.

dur, –e, hard, cruel.

durant, during.

durée, *f.*, duration.

durer, to last.

dus, dus, dut, durent, *past def. of* devoir, to be obliged to.

eau, *f.*, water.

ébahi, –e, *adj.*, astonished.

ébène, *f.*, ebony.

éblouir, to dazzle.

écarlate, scarlet.

échafaud, *m.*, scaffold.

échange, *m.*, exchange.

échanger, to exchange.

échapper, s'— à, to escape.

écharpe, *f.*, scarf.

échelle, *f.*, ladder.

écho, *m.*, echo.

éclair, *m.*, lightning, flash.

éclairer, to lighten, to light.

éclat, *m.*, brightness, brilliancy, burst.

éclater, to burst, to burst forth, to clap.

éclipser, to surpass, s'—, to disappear.

école, *f.*, school.

écolier, *m.*, scholar, schoolboy.

économe, saving.

économie, *f.*, economy.

économiser, to economize.

écorce, *f.*, bark.

écorcher, to flay.

écouter, to listen (to).

écraser, to crush.

écrier, to cry out, to say.

écrire, to write.

écrit, *past part. of* écrire, written.

écrivain, *m.*, writer.

écuelle, *f.*, bowl.

écume, *f.*, scum, foam.

écumer, to foam.

écureuil, *m.*, squirrel.

écurie, *f.*, stable.

édifice, *m.*, edifice.

édition, *f.*, edition.

effacer, to efface, to rub out;
s'—, to be effaced.

effaré, –e, *adj.*, frightened.

effet, *m.*, effect; **en** —, in
fact, yes.

effilé, –e, sharp, thin.

s'efforcer, to try.

effort, *m.*, effort.

effrayer, to frighten.

effroyable, frightful.

égal, –e, equal; **c'est** —, it
makes no difference.

également, equally, also,
alike.

égaler, to equal.

égaré, –e, lost.

s'égarer, to get lost.

égaux, *pl. of* egal.

église, *f.*, church.

égout, *m.*, gutter, sewer.

eh bien! *interj.*, well!

eh non! *interj.*, not at all.

s'élancer, to throw oneself,
to jump, to leap, to ad-
vance.

élargir, to enlarge, to widen.

électrique, electric(al).

élégamment, elegantly.

élégance, *f.*, elegance.

élégant, –e, elegant, beautiful.

éléphant, *m.*, elephant.

élévation, *f.*, elevation.

élève, *m.*, pupil.

élever, to lift up, to erect; to
bring up; **bien élevé,** well
bred; s'—, to rise (up).

elle, *fem. of* il, she, it.

éloigné, –e, distant, far-off.

s'éloigner, to go away.

élucider, to elucidate, to explain.

émanciper, to emancipate, to
set free.

s'embarquer, to embark.

embellir, to embellish, to
beautify.

emblème, *f.*, emblem, symbol.

embrasser, to embrace; to
kiss.

émettre, to emit, give forth.

éminemment, eminently.

emmener, to lead, lead away.

émotion, *f.*, emotion, excite-
ment.

émouvoir, to move; s'—, to
be moved.

empêcher, to prevent; s'—,
to prevent oneself, *negative
with* **pouvoir,** couldn't help.

empereur, *m.*, emperor.

empester, to taint, to pollute.

empire, *m.*, empire.

empirer, to get worse.

employé, *m.*, employee.

employer, to employ, to use;
s'—, to be used.

empoigner, to grab, to take.

empoisonner, to poison.

emporter, to take away.

empreinte, *f.*, imprint, mark.

emprisonner, to imprison.

ému, *past part. of* **émouvoir,**
moved.

en, *prep.*, in, into, within; at,
to; as, on; while. (*In the
latter meaning it is followed
by a present participle:* **en
courant,** while running.)

en, *pron.*, of it, of them.

encadrer, to frame.

enceinte, *f.*, circling; **mur
d'**—, town wall.

encens, *m.*, incense.

enchantement, *m.*, enchantment.

enchanter, to enchant, to charm, to fascinate.

enchère, *f.*, auction.

encore, still, more, again, yet.

encourager, to encourage.

encre, *f.*, ink.

endormi, −e, asleep.

s'endormir, to go to sleep.

endroit, *m.*, place, spot.

Enéide, *f.*, Æneid, poem by Virgil.

énergie, *f.*, energy.

enfant, *m.*, child.

Enfer, *m.*, Inferno; *pl.*, Hades.

enfermé, −e, closed in, shut in, imprisoned.

s'enfermer, to shut oneself in.

enfin, finally.

s'enfoncer, to sink.

s'enfuir, to flee.

engager, to hire, s'—, to undertake, to enlist, to engage.

engin, *m.*, engine, utensil, tackle; — de pêche, fishing line.

engloutir, to swallow.

engraver, to engrave.

enlever, to take away, to sweep away, to lift.

enlèvement, *m.*, taking away.

ennemi, *m.*, −e, *f.*, enemy.

énorme, enormous.

enraciner, to root.

enrager, to set wild, to anger.

s'enrhumer, to take cold.

enseignement, *m.*, teaching.

enseigner, to teach.

ensemble, together.

ensevelir, to bury.

ensuite, afterwards, then.

entame, *f.*, mark, cut.

entamer, to make a first cut, to cut, to mark.

entasser, to pile up, to pack down.

entendre, to hear, to understand; s'—, to understand well.

enthousiasme, *m.*, enthusiasm.

entier, entière, entire, whole.

entièrement, entirely.

entonner, to begin to sing.

entortiller, to wrap about.

entourage, *m.*, surrounding; retinue.

entourer, to surround.

entraînant, −e, *adj.*, entrancing.

entraîner, to drag along.

entrave, *f.*, clog, hindrance.

entraver, to hinder.

entre, *prep.*, among, between.

s'entrecroiser, to cross.

entrée, *f.*, entrance; coming in, admission.

entrer, to enter, to go in.

entre-temps, *adv.*, meanwhile.

entretenir, to keep up, to maintain, to support.

entretien, *m.*, maintenance, upkeep.

enveloppe, *f.*, envelope.

envelopper, to envelop, to surround.

enverrai, enverras, enverra, enverrons, enverrez, enverront, *fut. indic. of* envoyer, to send.

envers, towards.

envie, *f.*, envy, desire.

envier, to envy.

environ, *adv.*, about.

environs, *pl. m.*, surroundings, suburbs, vicinity.

s'envoler, to fly away, to flee.

envoyer, to send.

épais, –se, thick.

épanouir, to open up, to brighten up.

épargner, to spare.

éparpiller, to scatter.

épaule, *f.*, shoulder.

épaulette, *f.*, shoulder-strap.

épée, *f.*, sword.

épidémie, *f.*, epidemic.

épier, to spy, to see.

épisode, *m.*, episode.

épitre, *f.*, epistle, letter.

épopée, *f.*, epic.

époque, *f.*, epoch.

épouvantable, fearful.

épouvante, *f.*, fear.

épreuve, *f.*, test; **courage à toute —,** courage that will stand any test.

éprouver, to feel.

équipage, *m.*, crew.

ériger, to erect.

erreur, *f.*, error.

escadron, *m.*, squadron.

escalier, *m.*, stairway.

esclavage, *m.*, slavery.

esclave, *m.*, slave.

espace, *m.*, space.

Espagne, *f.*, Spain.

Espagnol, *m.*, Spaniard.

espagnol, –e, *adj.*, Spanish; *m.*, Spanish (language).

España (*Spanish*), *f.*, Spain.

espèce, *f.*, species, kind.

espérer, to hope.

espionnage, *m.*, spying.

espoir, *m.*, hope.

esprit, *m.*, mind, wit; spirit.

esquisse, *f.*, sketch.

essayer, to try.

essentiel, essentielle, essential.

essuyer, to wipe.

estampille, *f.*, stamp.

estime, *f.*, esteem.

estimer, to esteem, to estimate.

estudiantin, –e, *adj.*, student.

et, and.

étable, *f.*, stable.

établir, to establish; **s'—,** to settle; to station oneself.

établissement, *m.*, establishment.

étage, *m.*, story (of house).

étais, etait, *see* être.

étalage, *m.*, display.

étaler, to display; **s'—,** to be displayed.

étancher, to quench.

étang, *m.*, pond.

état, *m.*, state, condition; government.

États-Unis, *m. pl.*, United States.

été, *m.*, summer.

été, *past part. of* être, been.

éteindre, to extinguish.

étendre *or* **s'—,** to extend.

étendue, *f.*, extent.

éternel, –le, eternal.

Étienne, Stephen.

étincelant, shining, gleaming.

étinceler, to glisten.

étirer, to stretch out; **s'—,** to stretch oneself.

étoile, *f.*, star.

étonnant, –e, *adj.*, amazing.

étonnement, *m.*, astonishment.

étonner, to astonish; s'—, to be astonished.

étouffer, to suffocate; s'—, to be smothered.

étourdir, to stun.

étrange, strange.

étranger, *m.*, stranger, foreigner.

étranger, étrangère, *adj.*, foreign.

être, to be.

être, *m.*, being.

étroit, —e, *adj.*, narrow.

étude, *f.*, study.

étudiant, *m.*, student.

étudier, to study.

eu, *past part. of* avoir, had.

eus, eut, eurent, 1*st and* 3*d sing. and* 3*d pl. perf. indic. of* avoir, to have.

eux, *pron.*, they, them.

eux-mêmes, *intens. pl.*, themselves.

s'évanouir, to faint.

éveiller, to awaken.

événement, *m.*, event.

éventrer, to tear open, to disembowel.

évidemment, evidently.

éviter, to avoid.

évoluer, to maneuver.

exact, —e, exact.

exactement, exactly.

exactitude, *f.*, exactitude.

examen, *m.*, examination.

examiner, to examine.

excellent, —e, excellent.

exception, *f.*, exception.

excursion, *f.*, excursion.

exécrable, execrable.

exécuter, to execute.

exemple, *m.*, example; **par** —, think of it!

exercer, to have; to exert.

exercice, *m.*, exercise, drill.

exhaler, to breathe out, to shed.

exiger, to demand.

exister, to exist, to be.

expédier, to send.

expédition, *f.*, shipment.

expérience, *f.*, experience; experiment.

expérimentation, *f.*, experiment.

explication, *f.*, explanation, lecture.

expliquer, to explain.

exploit, *m.*, event, "stunt."

expression, *f.*, expression.

exprimer, to express.

exquis, —e, exquisite.

extase, *f.*, ecstasy.

extérieur, *m.*, outside, appearance.

extérieur, —e, external.

extra, *m.*, extra.

extrait, *m.*, extract.

extraordinaire, extraordinary.

extrêmement, extremely.

facile, easy.

facilement, easily.

facilité, *f.*, facility.

façon, *f.*, fashion, manner.

fagot, *m.*, fagot.

faible, feeble, dim.

faim, *f.*, hunger.

faire, to do, to make, to play; to give; to form; se —, to happen; to exist; to come; — place, to yield, to give way; — de, to amount to.

faisais, faisait, faisaient, *imperf. indic. of* faire, to do.

fait, *m.*, deed; tout à —, altogether, quite.

fait, *past part. of* faire, done.

falaise, *f.*, cliff, rock.

falloir, must, ought, to be necessary; to require.

fallut, il —, it was necessary.

fameux, fameuse, famous.

se familiariser, to familiarize oneself with.

familiarité, *f.*, familiarity.

famille, *f.*, family.

fané, –e, withered, faded.

fanfare, *f.*, band (of music).

fantasia, *f.*, fantasia, fantastic riding.

fantastique, *adj.*, fantastic.

farine, *f.*, flour.

farouche, fierce.

farouchement, fiercely.

fassent, *see* faire.

fatigue, *f.*, fatigue.

fatiguer, to tire; se —, to become tired.

faubourg, *m.*, suburb.

faudrait, il —, it would be necessary. (*See* falloir.)

faut, il —, it is necessary. (*See* falloir.)

faute, *f.*, fault, mistake, lack.

faux, *f.*, scythe.

faveur, *f.*, favor.

favori, –e, *or m.*, favorite.

fécond, –e, fruitful.

fée, *f.*, fairy.

félicitation, *f.*, congratulations.

femme, *f.*, woman, wife; — de chambre, chambermaid.

fenêtre, *f.*, window.

fer, *m.*, iron.

ferai, feras, fera, ferons, ferez, feront, *fut. indic. of* faire, to do, to make.

fer-blanc, *m.*, tin.

ferme, *f.*, farm; farmhouse; *adj.*, solid.

fermer, to close.

fermier, *m.*, farmer.

fermière, *f.*, peasant woman.

ferré, –e, *adj.*, hobnailed.

fertile, fertile.

fertilité, *f.*, fertility.

festin, *m.*, feast, banquet.

fête, *f.*, feast; holiday, fair; jour de—, holiday.

fêter, to celebrate.

feu, *m.*, fire.

feuillage, *m.*, foliage.

feuille, *f.*, leaf.

feutre, *m.*, felt.

fi! fie

fiançailles, *f.*, engagement.

fiancé, *m.*, fiancé, lover.

ficelle, *f.*, string.

fidèle, faithful.

fidèle, *m.*, faithful, believer.

fidèlement, faithfully.

Fidgi, Fiji (Islands).

fier, fière, *adj.*, proud.

se fier, to trust to.

fierté, *f.*, pride.

figure, *f.*, figure, face.

se figurer, to imagine.

file, *f.*, line, file, row.

filer, to start, to leave.

filet, *m.*, net, line.

fille, *f.*, daughter, girl.

fillette, *f.*, little girl.

fils, *m.*, son.
fin, —e, fine, thin; sensitive, delicate.
fin, *f.*, end.
financier, financial.
finir, to finish, to end.
Finlande, *f.*, Finland.
fis, *see* faire.
fixe, fixed.
flairer, to smell.
flamand, —e, *adj.*, Flemish, Fleming.
flambeau, *m.*, torch.
flamboyant, bright-colored.
flamme, *f.*, flame.
flanc, *m.*, flank, side.
flâneur, *m.*, idler.
flanquer, to flank.
flatter, to flatter; to please; se —, to flatter oneself.
flèche, *f.*, arrow; spire; en —, tandem.
fleur, *f.*, flower.
fleuri, —e, *adj.*, blooming.
fleurir, to flower, to bloom.
fleuve, *m.*, river.
flot, *m.*, wave, billow, stream.
flotte, *f.*, fleet.
flotter, to float.
flûte, *f.*, flute.
flux, *m.*, tide, floodtide.
foi, *f.*, faith.
foin, *m.*, hay.
foire, *f.*, fair.
fois, *f.*, time; une — que, once (that); à la —, at the same time.
fond, *m.*, bottom; background; à —, thoroughly.
fonder, to found.
font, 3*d pers. pl. pres. indic. of* faire, to do, to make.

forain, —e, *adj.*, pertaining to a show, show-man.
force, *f.*, force.
forcer, to force.
forêt, *f.*, forest.
forêt-vierge, *f.*, virgin forest.
forger, to forge, to make.
formalité, *f.*, formality.
forme, *f.*, form.
formel, formelle, formal; strict.
former, to form.
formidable, formidable.
formidablement, formidably.
fort, —e, *adj.*, strong.
fort, *m.*, fort.
forteresse, *f.*, fortification, fortress.
fortification, *f.*, fortification.
fortifier, to fortify.
fortune, *f.*, fortune.
fou, fol, folle, *adj.*, mad, foolish.
foudroyant, —e, *adj.*, lightning.
foudroyer, to strike suddenly as with lightning.
fouet, *m.*, whip.
fouetter, to whip.
fouiller, to dig.
fouillis, *m.*, mass.
foule, *f.*, crowd, flock.
fouler, to trample.
fourchette, *f.*, fork.
fourmi, *f.*, ant.
fournir, to furnish.
fourrer, to thrust; se —, to crowd.
fourrure, *f.*, fur.
foyer, *m.*, hearth.
fracas, *m.*, fracas, noise.
fragment, *m.*, fragment.

fraîcheur, *f.*, freshness, coolness.

frais, fraîche, fresh, cool.

frais, *m. pl.*, expenses.

fraise, *f.*, strawberry.

fraisier, *m.*, strawberry plant.

franc, *m.*, franc, unit of French money, about 19 cents.

Français, *m.*, Frenchman; –e, *f.*, Frenchwoman.

français, –e, *adj.*, French.

français, *m.*, French (language).

franchement, frankly.

François, *m.*, Francis, Frank.

frapper, to knock, to strike.

frayeur, *f.*, fright.

frêle, *adj.*, frail.

frémir, to tremble, to rustle.

fréquent, –e, frequent.

fréquenté, –e, *adj.*, traveled.

fréquenter, to visit often, to patronize, to haunt.

frémissement, *m.*, trembling.

frère, *m.*, brother.

fretin, *m.*, fry, minnow.

froid, –e, *adj. or noun m.*, cold.

front, *m.*, forehead.

frotter, to rub.

fruit, *m.*, fruit.

fruitier, *adj.*, fruit-bearing.

fuir, to flee.

fumée, *f.*, smoke.

fumer, to smoke.

funèbre, funereal, mournful.

furieux, furieuse, *adj.*, raging.

fus, fus, fut, fûmes, fûtes, furent, *past def. of* être, to be.

fusée, *f.*, sky-rocket.

fusil, *m.*, gun.

futilité, *f.*, futility.

fuyez, *imperat. of* fuir, to flee.

gagner, to gain; to win; to make; to be improved.

gaillard, *m.*, hearty fellow.

gaîment, gaily, gladly.

gain, *m.*, advantage.

galant, –e, gallant.

galerie, *f.*, gallery.

gallon, *m.*, gallon.

gamelle, *f.*, platter.

gamin, *m.*, urchin.

garantir, to protect; se —, to protect oneself.

garçon, *m.*, boy, steward, waiter; — de cabine, steward.

garde, *f.*, guard; prendre —, to take care; — de, to be careful not to.

garder, to watch, to notice; to keep.

gardien, *m.*, –ne, *f.*, keeper.

gare! *excl.*, look out (for)!

gare, *f.*, railroad-station, depot.

se garer de, to avoid.

gaspiller, to waste.

gâter, to spoil.

gauche, left; à —, to the left.

gazouillement, *m.*, warbling.

géant, *m.*, giant.

gendarme, *m.*, policeman.

général, *m.*, general.

général, –e, *adj.*, general.

généralissime, *m.*, commander-in-chief.

génération, *f.*, generation.

généreux, généreuse, generous.

générosité, *f.*, generosity.
génie, *m.*, genius.
genou, *m.*, knee.
genre, *m.*, kind, species.
gens, *m. pl.*, people; — armés, armed attendants.
gentil, –le, gentle, polite, nice.
gentilhomme, *m.*, gentleman, nobleman.
géographie, *f.*, geography
gerbe, *f.*, sheaf, bundle.
germanique, German.
geste, *m.*, gesture, deed.
gibier, *m.*, game.
gigantesque, gigantic.
glace, *f.*, ice, iceberg; glass.
gladiateur, *m.*, gladiator.
glaive, *m.*, sword.
glisser *or* se —, glide, slip.
gloire, *f.*, glory.
glorieux, glorieuse, glorious.
gobelet, *m.*, goblet, cup.
gonfler, to swell.
gosier, *m.*, throat.
gothique, gothic.
gourmet, *m.*, judge of good living, epicure.
goût, *m.*, taste.
goutte, *f.*, drop.
gouvernement, *m.*, government.
gouverner, to govern.
grâce, *f.*, grace; — à, thanks to.
gracieusement, graciously.
gracieux, gracieuse, graceful.
gradin, *m.*, step.
grain, *m.*, grain.
grand, –e, big, large, great, wide; — air, outdoors.
grandeur, *m.*, size, grandeur.
grandiose, imposing.

grandir, to grow.
grand-maréchal, *m.*, grand marshal.
grand-père, *m.*, grandfather.
Grand-Prix, *m.*, first prize; the Grand-Prix.
granit, *m.*, granite.
gras, –se, *adj.*, fat.
gratter, to scratch, to root, to paw.
Grau du Roi, *m.*, *proper n.*, a village in southern France.
grave, grave, deep.
gravier, *m.*, gravel.
Grec, *m.*, Greek.
grec, *adj.*, Greek.
Grèce, *f.*, Greece.
grêle, *adj.*, thin, shrill.
grêle, *f.*, hail.
grêler, to hail.
grelot, *m.*, bell.
grenouille, *f.*, frog.
grès, *m.*, earthenware.
Gretchen,*f.*,Gretchen,Maggie.
grève, *f.*, strand, seashore.
grille, *f.*, grated door, grating.
grillé, –e, *adj.*, grated.
griller, to provide with a grate.
grimper, to climb.
gris, –e, gray.
gros, –se, thick, big.
grosseur, *f.*, thickness.
grotesque, grotesque.
grotte, *f.*, cave.
groupe, *m.*, group.
groupé, –e, *adj.*, grouped.
grouper, to group.
guère, *adv.*, scarcely, hardly.
guérir, to cure; se —, to be cured.
guerre, *f.*, war.

guerrier, guerrière, *adj.*, martial.

guerrier, *m.*, warrior.

gueule, *f.*, mouth, snout.

guichet, *m.*, ticket window.

guide, *m.*, guide; guidebook.

Guillaume, *m.*, William.

guillotine, *f.*, guillotine.

guillotiner, to behead.

guise, *f.*, way, fancy.

gymnastique, *f.*, gymnastics.

(* *indicates aspirate* h)

habilité, *f.*, ability, skill.

habiller, to dress.

habit, *m.*, dress; *pl.*, clothes.

habitant, *m.*, inhabitant.

habitation, *f.*, home, abode.

habitude, *f.*, habit, custom.

habitué, *m.*, regular, confirmed criminal.

habituer, to accustom; s'—, to grow accustomed.

*haie, *f.*, hedge.

*haine, *f.*, hatred.

*haïr, to hate.

*hâlé, *adj.*, sunburnt.

haleine, *f.*, breath.

*hallebardier, *m.*, halberdier.

halle, *f.*, market; Les Halles, Central Market.

hallucination, *f.*, hallucination.

*haricot, *m.*, bean.

harmonie, *f.*, harmony.

harmonieux, harmonieuse, harmonious.

harmoniser, to harmonize.

*hasard, *m.*, hazard, chance.

*haut, –e, high; *m.*, height, top.

*hauteur, *f.*, height, top.

Havane, la —, Havana.

Havre, le —, Havre, a town in France.

hélas! *interj.*, alas!

hélice, *f.*, screw.

hellénique, Hellenic, Greek.

Henri, *m.*, Henry.

herbe, *f.*, grass, plant.

héritage, *m.*, inheritance.

hériter, to inherit.

hermine, *f.*, ermine.

héroïne, *f.*, heroine.

héroïque, heroic.

*héros, *m.*, hero.

Herrschaften (*German pl.*), ladies and gentlemen.

hésitation, *f.*, hesitation.

hésiter, to hesitate.

*hêtre, *m.*, beech.

heure, *f.*, hour; tout à l'—, a little while ago.

heureusement, happily, fortunate(ly).

heureux, heureuse, happy.

hier, yesterday.

hippophagique, boucherie —, horsemeat-market.

hirondelle, *f.*, swallow.

*hisser, to hoist.

histoire, *f.*, history, story.

historien, *m.*, historian.

historique, historical.

hiver, *m.*, winter.

Hollandais, *m.*, Hollander.

homme, *m.*, man.

honnête, *adj.*, respectable.

honnêteté, *f.*, honesty.

honneur, *m.*, honor.

honorable, honorable.

hôpital, –e, *adj. or noun m.*, hospital.

horizon, *m.*, horizon.
horreur, *f.*, horror, horrors!
horrible, horrible.
*hors, out, except.
hospitalier, hospitalière, *adj.*, hospitable.
hospitalité, *f.*, hospitality.
hôte, *m.*, host.
hôtel, *m.*, hotel, home; Hôtel de Ville, city hall.
Hugues, *m.*, Hugh.
huile, *f.*, oil.
huit, eight.
humain, –e, human.
humanité, *f.*, humanity.
humeur, *f.*, humor.
humide, humid, damp.
hyacinthe, *f.*, hyacinth.
hygiène, *f.*, hygiene.
hymne, *m.*, hymn.

ibid. (*Latin abbreviation*), *adv.*, in the same place, see previous reference.
ici, here.
idée, *f.*, idea.
idiome, *m.*, idiom, language.
ignorance, *f.*, ignorance.
ignoré, –e, *adj.*, unknown.
ignorer, to ignore, not know.
il, ils, he, they.
île, *f.*, island.
illuminer, to light; s'—, to be lighted.
illustré, –e, *adj.*, illustrated.
illustrer, to illustrate.
image, *f.*, image.
imagination, *f.*, imagination.
imaginer *or* s'—, to imagine.
immaculé, –e, immaculate, unspotted, pure.
immédiat, *adj.*, immediate.

immédiatement, immediately.
immense, *adj.*, large.
immensité, *f.*, immensity.
immobile, *adj.*, motionless.
immobilité, *f.*, immobility.
immunité, *f.*, immunity.
impatient, *adj.*, impatient; *noun*, *m.*, impatient man.
imperfection, *f.*, imperfection.
impérial, –e, imperial.
impériale, *f.*, second story of an omnibus.
implorer, to implore.
importance, *f.*, importance.
important, –e, important.
importer, to import; to make a difference.
imposant, *adj.*, imposing.
imposer, to lay, to impose.
impossible, impossible.
imprenable, *adj.*, impregnable.
impression, *f.*, impression, idea.
imprudence, *f.*, imprudence.
imprudent, –e, *adj.*, imprudent.
inartistique, inartistic.
incendie, *m.*, fire.
incertain, –e, uncertain.
incident, *m.*, incident.
incliner, to incline.
incommode, *adj.*, inconvenient.
incomplet, incomplète, incomplete.
incroyable, unbelievable.
Inde, *f.*, India.
indéniable, *adj.*, undeniable.
indépendance, *f.*, independence.
indépendant, independent.
indésirable, undesirable.

Indien, *m.*, Indian.
indifférent, indifferent.
indiquer, to indicate, to show, to mark, to point out.
indiscrétion, *f.*, imprudence.
indispensable, *adj.*, necessary.
indistinctement, indistinctly.
individu, *m.*, individual.
indubitablement, undoubtedly.
industrie, *f.*, manufacturing.
inépuisable, *adj.*, inexhaustible.
inexact, –e, inexact.
inexorable, inexorable.
infaillible, infallible.
infanterie, *f.*, infantry.
inférieur, –e, inferior.
infernal, –e, *adj.*, lower, infernal.
infini, –e, infinite.
infiniment, infinitely, very much.
infinité, *f.*, infinity.
influence, *f.*, influence.
influencé, –e, *adj.*, influenced.
informer, to inform.
infortuné, *m.*, unfortunate man; **infortunée**, *f.*, unfortunate woman.
innocence, *f.*, innocence.
innocent, –e, innocent.
innombrable, innumerable.
inoffensif, **inoffensive**, inoffensive.
inonder, to inundate, to flood; **s'—**, to be flooded.
inoubliable, unforgettable.
inouï, –e, unheard-of; great.
inscription, *f.*, inscription.
inscrire, to inscribe.
insignifiant, insignificant.

inspecteur, *m.*, inspector.
inspirer, to inspire.
installation, *f.*, installation, establishment.
installer, to install, to set up; **s'—**, to install oneself.
instant, *m.*, instant; **à l'—**, immediately.
instantané, *m.*, photograph.
instinctivement, instinctively.
institution, *f.*, institution.
institutrice, *f.*, teacher.
instruction, *f.*, instruction.
instruit, –e, *adj.*, learned.
instrument, *m.*, instrument.
insulter, to insult.
intact, –e, *adj.*, intact.
intelligence, *f.*, intelligence.
intempérie, *f.*, hardship.
intéressant, interesting.
intéressé, –e, *adj.*, interested.
intéresser, to interest; **s'—**, to be *or* become interested.
intérêt, *m.*, interest.
intérieur, *m.*, interior.
intérieur, –e, *adj.*, internal, inside.
interlocuteur, *m.*, person with whom one converses.
interminable, interminable.
intermission, *f.*, intermission.
interprète, *m.*, interpreter.
interpréter, to interpret.
interrogatoire, *m.*, examination.
interroger, to ask, to examine.
interrompre, to interrupt; **s'—**, to stop.
interruption, *f.*, interruption.
intimité, *f.*, intimacy, inmost recesses.
introduction, *f.*, introduction.

introduire, to introduce, to present.

inutile, useless, needless.

invalide, *m.*, veteran soldier; Hôtel des Invalides, Old Soldiers' Home, in Paris. It contains the tomb of Napoleon.

inventer, to invent.

invisible, invisible.

inviter, to invite.

involontairement, unwillingly.

irréprochable, irreproachable.

irrésistible, irresistible.

Islande, *f.*, Iceland.

Italie, *f.*, Italy.

italien, *adj. or noun m.*, Italian (language).

Italien, *m.*, Italian.

ivoire, *m.*, ivory.

jadis, formerly, long ago.

jaloux, jalouse, jealous.

jamais, never, ever.

jambe, *f.*, leg.

janvier, *m.*, January.

jardin, *m.*, garden.

jardinier, *m.*, gardener.

jarret, *m.*, knees.

jaune, *adj., or noun m.*, yellow.

je, I.

Jean, *m.*, John.

Jeronimo, *m.*, Jerome.

Jésus-Christ, *m.*, Christ.

jeter, to throw; se—, to empty.

jeton, *m.*, check.

jeu, *m.*, game.

jeune, young.

jeunesse, *f.*, youth.

Joconde, *f.*, the happy one; *name given to Leonardo's* Mona Lisa.

joie, *f.*, joy.

joindre, to join, to add to; se — à, to meet.

joli, –e, pretty.

joue, *f.*, cheek.

jouer, *or* — de, to play.

jouet, *m.*, plaything.

jouir, to enjoy.

jour, *m.*, day, light.

journal, *m.*, newspaper.

journaux, *pl. of* journal.

journée, *f.*, journey, day.

joyeux, joyeuse, joyous, gay-hearted.

juge, *m.*, judge; — d'instruction, investigating judge.

juillet, *m.*, July.

juin, *m.*, June.

Jules-César, *m.*, Julius Cæsar.

jurer, to swear.

jusque, until, as far as, to; jusqu'à ce que, until.

juste, just, correct, right.

justement, justly, exactly, just.

justice, *f.*, justice.

képi, *m.*, cap, military cap.

kilo, *m.*, kilo (2⅕ lbs.).

kilomètre, *m.*, kilometer, about ⅗ of a mile.

la, *art.*, the.

la, *pron.*, her.

là, *adv.*, there; là-bas, below, over there; là-haut, up there.

Labiénus, *m.*, Labie'nus.

labourer, to plow.

laboureur, *m.*, farmer.

lac, *m.*, lake.

lâcher, to let loose.

laide, *adj.*, ugly.

laine, *f.*, wool.

laisser, to let, to leave; **se — faire**, to allow to do.

lait, *m.*, milk.

lambeau, *m.*, scrap.

lampe, *f.*, lamp.

lampion, *m.*, Chinese lantern.

langue, *f.*, tongue, speech.

lanterne, *f.*, lantern; **— vénitienne**, Japanese *or* Chinese lantern.

lapin, *m.*, rabbit.

laquelle, *pron.*, which.

large, *adj.*, broad; free; *n. m.*, breadth; **de —**, wide.

largeur, *f.*, breadth, width.

larme, *f.*, tear.

las, lasse, tired.

latin, *adj. or n. m.*, Latin.

laurier, *m.*, laurel.

lavabo, *m.*, washstand.

laver, to wash.

le, the.

lécher, to lick.

leçon, *f.*, lesson.

léger, légère, light.

légion, *f.*, legion.

légionnaire, *m.*, soldier of the legion, legionary.

légitime, legitimate.

légume, *m.*, vegetable.

lendemain, *adv., or noun m.*, the next day.

lent, -e, slow.

lentement, slowly.

lequel, laquelle, lesquels, lesquelles, *interrog. or rel. pron.*, which.

lesquels, *m. pl.*, which?

lestement, *adv.*, lightly.

lettre, *f.*, letter.

leur, *poss. adj.*, their; *pers. pron.*, them, for them.

lever, to lift up; **se —**, to rise.

lèvre, *f.*, lip.

liberté, *f.*, liberty, freedom.

libre, free.

librement, freely.

lice, *f.*, lists, place of combat.

lieu, *m.*, place, spot; **au —**, instead; **avoir —**, to take place.

lieue, *f.*, league, about $2\frac{1}{2}$ miles.

lieutenant, *m.*, lieutenant.

lièvre, *m.*, hare.

lignage, *m.*, lineage.

ligne, *f.*, line.

limite, *f.*, limit.

linge, *m.*, linen.

lion, *m.*, lion.

liquide, *adj., or noun m.*, liquid.

lire, to read.

lis, lis, lit, lisons, lisez, lisent, *pres. indic. of* **lire**.

lis, *m.*, lily.

lise, *f.*, quicksand.

lisse, *adj.*, glossy, shiny, smooth.

liste, *f.*, list.

lit, *m.*, bed.

litre, *m.*, liter (*the unit of liquid measure in France*); bowl.

littérateur, *m.*, author.

littérature, *f.*, literature.

livre, *m.*, book; *f.*, pound.

livrer, to deliver, to make; **se —**, to consecrate oneself to, to devote oneself to.

loger, to lodge.

logis, *m.*, house.
loi, *f.*, law.
loin, *adv.*, far; au —, in the distance.
lointain, –e, far-off; au —, in the distance.
loisir, *m.*, leisure.
l'on, *euphonism for* on.
long, longue, long, tall; le — de, along, past.
longtemps, *adv.*, a long time.
longueur, *f.*, length.
lopin, *m.*, bit, piece.
lorsque, when.
lueur, *f.*, light.
lugubre, *adj.*, mournful.
lui, him, to him, to her; he.
lui-même, he himself.
luire, to shine.
luisant, –e, shining.
lumière, *f.*, light.
lumineux, lumineuse, *adj.*, luminous.
lune, *f.*, moon.
lunette, *f.*, glasses.
lus, lus, lut, lûmes, lûtes, lurent, *perf. indic. of* lire, to read.
Lutèce, *f.*, Paris.
lutte, *f.*, struggle.
luxe, *m.*, style, luxury.
lycée, *m.*, lyceum, high school.
lycéen, *m.*, high school boy.

machine, *f.*, machine.
maçon, *m.*, mason.
macormic, *adj.*, McCormick.
madame, *f.*, madam.
mademoiselle, *f.*, miss, young lady.
madone, *f.*, madonna.
magasin, *m.*, store.

magicien, *m.*, magician.
magique, magic.
magnificence, *f.*, magnificence.
magnifique, magnificent.
main, *f.*, hand.
maint, –e, *adj.*, many (a).
maintenant, now.
maintenir, to maintain.
maire, *m.*, mayor.
mairie, *f.*, mayor's office, city hall.
mais, but; why.
maïs, *m.*, corn.
maison, *f.*, house.
maisonnette, *f.*, little house.
maître, *m.*, master, teacher; — d'hôtel, chief steward.
maître-autel, *m.*, main altar.
majesté, *f.*, majesty.
majorité, *f.*, majority.
mal, *adv.*, badly; bad; *noun m.*, pain.
malade, sick, ill; *noun m.*, sick man.
maladie, *f.*, malady, illness.
Malais, *m.*, Malay.
malgré, notwithstanding, in spite of.
malheur, *m.*, misfortune, woe.
malheureusement, unfortunately.
maman, *f.*, mamma.
Manche, *f.*, English Channel; *as common noun*, sleeve.
manger, to eat.
manie, *f.*, mania, craze.
manier, to manage.
manière, *f.*, manner.
manifestation, *f.*, manifestation, demonstration.
manœuvres, *f.*, drill.

manquer, to fail, to be wanting.
manteau, *m.*, mantle.
marbre, *m.*, marble.
marchand, *m.*, merchant.
marchande, *f.*, huckster.
marchandise, *f.*, merchandise.
marche, *f.*, march, step.
marché, *m.*, market; bargain.
marcher, to march, to move,
to walk.
marée, *f.*, tide.
mari, *m.*, husband.
marié, *m.*, −e, *f.*, married
person.
marier, to marry; se —, to
get married.
marin, *m.*, sailor.
marine, *f.*, navy.
maritime, maritime.
marque, *f.*, mark, brand.
marquer, to mark, to distinguish.
marquis, *m.*, marquis; mar-
quise, *f.*, marchioness.
Marseillaise, *f.*, Marseilles
hymn, Marseillaise.
marsouin, *m.*, dolphin.
marteau, *m.*, hammer.
martyr, *m.*, −e, *f.*, martyr.
martyre, *m.*, martyrdom.
martyriser, to torture.
massacre, *m.*, massacre.
masse, *f.*, mass.
masure, *f.*, hut.
matelas, *m.*, mattress.
matelot, *m.*, sailor.
mathématique, *f.*, mathe-
matics.
Mathusalem, Methuselah.
matière, *f.*, matter.
matin, *m.*, morning; du —, A.M.

matinal, −e, early, pertaining
to the morning.
mausolée, *m.*, mausoleum.
mauvais, −e, bad.
mazurka, *f.*, (dance-move-
ment), mazurka.
me, me, to me.
méchant, −e, *adj.*, bad.
médecin, *m.*, doctor.
médecine, *f.*, medicine.
méditation, *f.*, meditation.
méditer, to meditate, to pon-
der.
Méditerrané, −e, *adj.*, Medi-
terranean; *n. f.*, the Medi-
terranean; mer —, Medi-
terranean Sea.
méfiance, *f.*, distrust.
meilleur, −e, better, best;
le —, best.
meine (*German*), *poss. adj.*,
pl., my.
mélancoliquement, in a mel-
ancholy way.
mêler, to mix; se — à, to
busy oneself with, to mingle
with.
mélodie, *f.*, melody.
melon, *m.*, melon.
membre, *m.*, member, coil.
même, *adj.*, same.
même, *intensive used with* moi,
toi, *etc.*, self; *adv.*, even.
mémoire, *f.*, memory.
menace, *f.*, menace.
menacer, to threaten.
ménagement, *m.*, precaution.
ménagère, *f.*, housekeeper.
mendiant, *m.*, −e, *f.*, beggar.
mener, to lead, to bring.
menu, *m.*, bill of fare.
mer, *f.*, sea.

mère, *f.*, mother.
méridional, –e, meridional, southern.
mérite, *m.*, merit.
mériter, to deserve.
merveille, *f.*, marvel; à —, extremely well.
merveilleux, merveilleuse, *adj.*, wonderful.
mes, *pl. of* mon *and of* ma, my.
mesdames (*pl. of* madame), *f.*, ladies.
messe, *f.*, mass.
messieurs (*pl. of* monsieur), *m.*, gentlemen.
mesure, *f.*, measure; à — que, as.
métamorphose, *f.*, metamorphosis.
métamorphosé, –e, changed.
métier, *m.*, trade, occupation.
mètre, *m.*, meter (*unit of length measure*).
mettre, to place, to put on.
meuble, *m.*, furniture.
meurs, meurs, meurt, . . . meurent, *pres. indic. of* mourir, to die.
Michel, *m.*, Michael.
midi, *m.*, midday, noon.
Midi, *m.*, South.
mie, *f.*, friend.
miette, *f.*, crumb.
mieux, *adv.*, better, best.
milieu, *m.*, middle, surrounding, environment; hors de son —, out of one's place.
militaire, military.
mille, *m.*, thousand.
mille, *f.*, mile.
milliard, *m.*, billion.
millier, *m.*, thousand.

million, *m.*, million.
millionnaire, *m.*, millionaire.
mîmes, *see* mettre.
mine, *f.*, mine; face.
minute, *f.*, minute.
minutieux, minutieuse, *adj.*, minute.
miracle, *m.*, miracle.
se mirer, to be reflected.
mis, mis, mit, mîmes, mîtes, mirent, *past def. of* mettre, to place, to put on.
misère, *f.*, poverty.
mobile, movable, soft.
mobilisation, *f.*, mobilization.
mode, *f.*, fashion.
modèle, *m.*, model.
moderne, modern.
modeste, modest.
modestement, modestly.
mœurs, *f. pl.*, customs; manners.
moi, *pron.*, me.
moi-même, *intens. pron.*, myself.
moindre, least.
moine, *m.*, monk.
moineau, *m.*, sparrow.
moins, less; à — *or* à — que, unless.
mois, *m.*, month.
moissoneuse, *f.*, reaper.
moitié, *f.*, half.
moment, *m.*, moment; à ce —, just then; en ce —, now.
mon, *adj.*, my.
monarque, *m.*, king.
monastère, *m.*, monastery.
monde, *m.*, world; people; tout le —, everybody.
monnaie, *f.*, money.

monotone, monotonous.

monotonie, *f.*, monotony.

monsieur, *m.*, Mr., sir, gentleman.

monstre, *m.*, monster.

monstrueux, **monstrueuse,**
monstrous.

mont, *m.*, mountain.

montagnard, *m.*, mountaineer.

montagne, *f.*, mountain.

montant, *m.*, amount.

monter, to mount, to ascend,
to come up, to rise; to
take up.

montre, *f.*, watch.

montrer, to show.

monture, *f.*, mount, horse.

monument, *m.*, monument,
relic.

monumental, –e, monumen-
tal.

se moquer, to mock, to make
sport, to deride.

morceau, *m.*, morsel, piece.

mordre, to bite.

mort, *f.*, death.

mort, –e, *adj.*, dead.

mortel, –le, *adj.*, deadly, fatal;
noun m., mortal.

mosaïque, *f.*, mosaic.

mot, *m.*, word.

moteur, *m.*, motor, engine.

mouche, *f.*, fly.

mouillé, –e, *adj.*, wet.

mouiller, to moisten; se —,
to get wet.

mourir, to die.

mourut, *past def. of* mourir.

mousse, *f.*, moss; suds, lather,
foam.

mousser, to foam.

moustache, *f.*, moustache.

mouton, *m.*, sheep.

mouvement, *m.*, movement,
motion, life.

moyen, *m.*, means; au —, by
means; *adj.*, moderate.

moyen âge, *m.*, the Middle
Ages.

moyenne, *f.*, average.

mugir, to roar.

mugissement, *m.*, roaring.

mule, *f.*, mule.

mulet, *m.*, mule.

muletier, *m.*, muleteer.

munir, to equip.

munificence, *f.*, liberality.

mur, *m.*, wall.

mûr, –e, *adj.*, ripe.

murmure, *m.*, murmur.

murmurer, to murmur.

museau, *m.*, nose.

musée, *m.*, museum.

musical, –e, musical; **soirée
musicale,** evening of music.

musique, *f.*, music, band.

mystère, *m.*, mystery.

mystérieux, **mystérieuse,**
mysterious.

mythologie, *f.*, mythology.

nager, to swim.

naïf, naïve, simple.

naissance, *f.*, birth.

Napoléon, *m.*, Napoleon.

napoléonien, Napoleonic.

narine, *f.*, nostril.

naseau, *m.*, nostril, nose.

national, –e, national.

nationalité, *f.*, nationality.

nature, *f.*, nature.

naturel, *adj.*, natural.

naturellement, naturally.

navigateur, *m.*, sailor.

naviguer, to navigate.

navire, *m.*, ship.

navrant, –e, heart-rending.

né, née, born.

néanmoins, nevertheless.

nécessaire, necessary.

nécessairement, *adv.*, necessarily.

négatif, négative, negative.

négresse, *f.*, negress.

neige, *f.*, snow.

nerveux, nerveuse, nervous, excitable.

nettoyer, to clean.

neuf, *numeral*, nine.

neuf, neuve, *adj.*, new.

nez, *m.*, nose; sense of smell.

ni, neither; — . . . —, neither . . . nor.

nid, *m.*, nest.

noble, noble.

noblesse, *f.*, nobility.

Noël, *m.*, Christmas; Christmas song.

noir,–e, black; *noun m.*, black.

noirâtre, blackish.

noirceur, *f.*, blackness.

noircir, to blacken.

nom, *m.*, noun, name.

nombre, *m.*, number.

nombreux, nombreuse, numerous.

nommé, –e, *adj.*, called.

nommer, to name; se —, to be called.

non, no, not.

Nord *or* nord, *m.*, North.

normand, –e, Norman.

Normand, *m.*, Normande, *f.*, Norman.

Normandie, *f.*, Normandy.

nos, *poss. adj.*, our.

note, *f.*, note, bill.

notre, our.

nôtre, *pron.*, ours.

nourrir, to feed.

nourriture, *f.*, food.

nous, *pers. pron.*, we, us, to us; each other.

nouveau, nouvelle, *adj.*, new; de —, again.

nouvelles, *f. pl.*, news.

novice, *f.*, novice.

noyau, *m.*, stone, pit, *as of a cherry.*

nu, –e, naked.

nuage, *m.*, cloud.

nue, *f.*, cloud.

nuit, *f.*, night, darkness.

nul, –le, *adj. or pron.*, not any, not any one.

nullement, not at all, never.

nu-pieds, *adv.*, barefooted.

nymphe, *f.*, nymph.

obéir, to obey.

objet, *m.*, object, thing.

obliger, to oblige.

obscurité, *f.*, obscurity, darkness.

observer, to observe, to watch; to keep.

obtenir, to obtain.

occasion, *f.*, occasion.

occupé, –e, *adj.*, busy; taken.

occuper, to occupy; s'—, to busy oneself.

océan, *m.*, ocean.

odeur, *f.*, odor.

odieux, odieuse, odious.

œil, *m.*, *pl.* yeux, eye.

œuf, *m.*, egg.

œuvre, *f.*, work; — de la mer, rescue work at sea.

offenser, to offend.
officier, *m.*, officer.
offrir, to offer.
oiseau, *m.*, bird.
oison, *m.*, gosling.
oliphant, *m.*, oliphant, elephant.
olive, *m.*, olive.
ombre, *f.*, shade, shadow.
on, *pron.*, one, they, we.
onde, *f.*, wave.
onduler, to undulate, to wave.
ongle, *m.*, nail.
onze, eleven.
onzième, *adj.*, eleventh.
opéra, *m.*, opera house.
opossum, *m.*, opossum.
opposer, to oppose.
opulence, *f.*, wealth.
or, *conj.*, now, but, so; *noun m.*, gold.
orage, *m.*, storm.
oratoire, *m.*, oratory, praying-room.
ordinaire, ordinary, common.
ordre, *m.*, order.
ordonner, to order.
oreille, *f.*, ear.
organiser, to organize.
orgueil, *m.*, pride.
orgue, *m.*, organ.
orient, *m.*, east.
original, –e, *adj., or noun m.*, original.
origine, *f.*, origin.
ornement, *m.*, ornament.
ornementer, to ornament.
orner, to adorn.
ortolan, *m.*, ortolan.
os, *m.*, bone.
oser, to dare.
ôter, to take away, to take off.

ou, *conj.*, or.
où, *adv.*, where; in which.
oublier, to forget.
ouest, *m.*, West.
oui, yes.
ouragan, *m.*, hurricane.
ours, *m.*, bear.
outil, *m.*, tool.
outre, on; en —, besides, furthermore; beyond.
Outre-Rhin, *m.*, beyond the Rhine.
ouvert, –e, open.
ouverture, *f.*, opening.
ouvrage, *m.*, work.
ouvrier, *m.*, workman.
ouvrir, to open; s'—, to be opened.
ozone, *m.*, ozone.

paie, *see* payer.
paille, *f.*, straw.
pain, *m.*, bread.
paire, *f.*, pair, couple.
paisible, *adj.*, peaceful.
paisiblement, *adv.*, peaceably.
paix, *f.*, peace.
palais, *m.*, palace; hall.
pâlir, to turn pale.
panem et circenses (*Latin*), bread and shows.
panier, *m.*, basket.
panorama, *m.*, panorama, view.
pantalon, *m.*, trousers.
Panthéon, *m.*, Pantheon.
papa, *m.*, father.
pape, *m.*, pope.
papier, *m.*, paper.
par, *prep.*, by, per, through.
parallélogramme, *m.*, square.
parapet, *m.*, parapet.

parapluie, *m.,* umbrella.
parbleu, *interj.,* dear me!
parc, *m.,* park.
parce que, *conj.,* because.
parcourir, to go through, to travel (through).
pardessus, above, over.
pardon, *m.,* forgiveness, pardon; **Pardon,** a religious feast.
pardonner, to forgive.
pareil, –le, similar, such.
parent, *m.,* parent, relative.
parentage, *m.,* parentage.
paresseux, paresseuse, lazy.
parfait, –e, perfect.
parfaitement, perfectly; to be sure.
parfois, sometimes.
parfum, *m.,* perfume.
parfumer, to perfume.
parisien, –ne, *adj.,* Parisian.
Parisien, *m.,* **–ne,** *f.,* Parisian.
parler, to speak.
parloir, *m.,* drawing room.
parmi, among.
paroi, *f.,* wall, partition.
paroisse, *f.,* parish.
parole, *f.,* word.
parquet, *m.,* floor.
part, *f.,* part; **de la — de,** from.
partager, to divide.
particulier, particulière, particular, special.
partie, *f.,* game; part.
partir, to leave, to start.
partout, everywhere.
parut, *past def. of* **paraître,** appeared.
pas, *m.,* step.
pas, not; **ne —,** not.

passage, *m.,* passage, crossing, trip.
passant, *m.,* passer-by.
passer, to pass by, to go by; to pass, to spend; to cross; **se —,** to happen; **— à,** to go through; **se — de,** to get along without.
passerelle, *f.,* gang-plank; foot-bridge.
paternel, –le, *adj.,* paternal.
patience, *f.,* patience.
pâtre, *m.,* shepherd.
patrie, *f.,* native land.
patriotique, patriotic.
patriotisme, *m.,* patriotism.
patron, *m.,* patron saint, master, proprietor.
patte, *f.,* paw, foot.
pâturage, *m.,* pasture.
pauvre, *adj., or noun m.,* poor.
pavé, *m.,* pavement.
pavé, –e, *adj.,* paved.
pavillon, *m.,* pavilion.
payer, to pay.
pays, *m.,* country.
paysage, *m.,* landscape.
paysan, *m.,* farmer; **paysanne,** *f.,* country woman.
peau, *f.,* skin, hide.
pêche, *f.,* fishing; peach; **bateaux de pêche,** fishing boats.
pêcher, to fish.
pêcheur, *m.,* fisherman.
peine, *f.,* trouble; **à —,** barely.
peintre, *m.,* painter.
peinture, *f.,* painting.
pèlerinage, *m.,* pilgrimage.
pèlerine, *f.,* pilgrim.
pelle, *f.,* paddle.

pelletée, *f.*, spadeful, pile.
pelouse, *f.*, lawn, turf, links.
penchant, *m.*, slope; inclination.
pencher, to bend over, to lean, to incline.
pendant, in, for, during; *m.*, counterpart; **— que,** while.
pendre, to hang.
pénétrer, to penetrate.
pénible, painful.
pennon, *m.*, pennant.
pensée, *f.*, thought.
penser, to think.
pension, *f.*, pension.
pente, *f.*, slope.
pépin, *m.*, seed, *of fruit.*
percer, to pierce.
percevoir, to perceive.
perdre, to lose; **se —,** to be lost.
perdrix, *f.*, partridge.
perdu, *past part. of* **perdre,** lost.
père, *m.*, father.
perfection, *f.*, perfection; **à la —,** perfectly.
perfectionner, to perfect.
périlleux, périlleuse, perilous.
péristyle, *m.*, peristyle.
perle, *f.*, pearl.
permettre, to permit.
permis, *m.*, permit, pass.
permission, *f.*, permission.
pernicieux, pernicieuse, pernicious.
perpendiculaire, perpendicular.
personnage, *m.*, person.
personne, *f.*, person.
personne, *pron.*, no one, any one.

personnel, –le, personal, own.
personnellement, personally.
persuader, to persuade.
perte, *f.*, loss.
peser, to weigh.
petit, –e, small.
pétrifier, to petrify; **se —,** to be petrified.
pétrole, *m.*, gasoline.
peu, *adv.*, little; **— à —,** little by little; **à — près,** nearly; **— de,** few.
peuple, *m.*, people.
peur, *f.*, fear.
peut, peuvent, *3d per. sing. and pl. of* **pouvoir,** to be able.
peut-être, may be, perhaps.
Pharaon, *m.*, Pharaoh.
phare, *m.*, lighthouse.
phénomenal, –e, *adj.*, remarkable, phenomenal.
phénomène, *m.*, phenomenon.
Philippe, *m.*, Philip.
philologie, *f.*, philology.
phonographe, *m.*, phonograph.
photographe, *m.*, photographer.
photographie, *f.*, photograph.
photographier, to photograph.
photographique, *adj.*, photographic.
phrase, *f.*, phrase; sentence.
physique, *adj.*, physical.
piano, *m.*, piano.
picorer, to pick.
pièce, *f.*, piece; room.
pied, *m.*, foot.
Pierre, *m.*, Peter.
pierre, *f.*, stone, rock.
piété, *f.*, piety.
piétiner, to trample.

piéton, *m.*, walker, pedestrian (man or woman on foot).
pieu, *m.*, stake.
pilier, *m.*, pillar.
pilote, *m.*, pilot.
pince-nez, *m.*, nose-glasses.
pipe, *f.*, pipe.
pique, *f.*, pike, pique.
se piquer de, to be offended at.
piqûre, *f.*, sting, bite.
pire, *adj.*, worse.
pistolet, *m.*, pistol.
pitoyable, pitiful.
pittoresque, picturesque.
place, *f.*, room, square (public place); place, seat; faire —, to give way.
placer, to place.
placide, *adj.*, quiet.
plage, *f.*, strand.
plaie, *f.*, scar, sore.
plaine, *f.*, plain.
plaintif, plaintive, plaintive.
plaire, to please; se —, to take pleasure in, to be delighted.
plaisir, *m.*, pleasure.
planche, *f.*, board, plank.
plancher, *m.*, plank; floor.
plante, *f.*, plant.
planter, to plant.
plat, –e, *adj.*, flat.
plate-forme, *f.*, platform.
plébéien, –ne, *adj.*, plebeian.
plein, –e, full.
pleurer, to weep.
pleut, *pres. indic. of* pleuvoir, to rain.
pleuvoir, to rain.
pli, *m.*, fold.
plier, to fold, to bend, to coil.
plomb, *m.*, lead.

plonger, to plunge.
pluie, *f.*, rain.
plume, *f.*, pen, feather.
plupart, *f.*, majority.
plus, *adv.*, more; ne —, no more; no longer; plus que *or* de, more than.
plusieurs, several.
Pluton, *m.*, Pluto.
plutôt, sooner, rather.
poche, *f.*, pocket.
poème, *m.*, poem.
poète, *m.*, poet.
poétique, poetical.
poids, *m.*, weight.
poignée, *f.*, handful; — de main, handshake.
poil, *m.*, hair, *of the face, as distinguished from* cheveux, hair of the head.
point, *m.*, point, dot.
point, ne —, *adv.*, not at all.
pointe, *f.*, point.
poire, *f.*, pear.
poirier, *m.*, pear-tree.
pois, *m.*, pea.
poison, *m.*, poison.
poisson, *m.*, fish.
poissonnière, *f.*, fishwife.
poitrinaire, *m. or f.*, consumptive.
poitrine, *f.*, breast.
poivre, *m.*, pepper.
poli, –e, polite.
police, *f.*, police.
poliment, politely.
politesse, *f.*, politeness.
politique, *adj.*, political.
politique, *f.*, politics.
polka, *f.*, polka.
pomme, *f.*, apple; — de terre, potato.

pommier, *m.*, apple-tree.
pont, *m.*, bridge; deck.
population, *f.*, population.
porc-épic, *m.*, porcupine.
porphyre, *m.*, porphyry.
port, *m.*, port.
porte, *f.*, gate, door.
porte-cochère, *f.*, carriage-entrance in a building; gate and passage for carriages through a building, from the street to an interior courtyard.
porter, to carry; to wear; to have, to take.
porteur, *m.*, carrier, bearer.
portière, *f.*, window.
portrait, *m.*, portrait.
pose, *f.*, pose.
poser, to place, to pose.
posséder, to possess.
possible, possible.
possibilité, *f.*, possibility.
poste, *f.*, post, post-office.
poste, *m.*, post, place of duty, point.
pot, *m.*, pot.
poteau, *m.*, post, *of wood or metal, placed in the ground.*
poterie, *f.*, pottery.
pouce, *m.*, thumb; inch.
poule, *f.*, chicken.
poumon, *m.*, lung.
pour, for.
pourboire, *m.*, tip, fee.
pourpre, *adj.*, purple.
pourquoi, why.
pourrai, pourras, pourra, pourrons, pourrez, pourront, *fut. indic.* of **pouvoir,** to be able.
poursuivre, to pursue.
pourtant, *conj.*, and yet.

pousser, to push, to shove; to utter; to grow.
poussière, *f.*, dust.
poussin, *m.*, chick.
pouvoir, to be able, to be possible.
pouvoir, *m.*, power.
prairie, *f.*, prairie.
pratique, *f.*, practice; *adj.*, practical.
pratiqué, -e, *adj.*, made.
pré, *m.*, meadow.
précéder, to precede.
prêcher, to preach.
précipice, *m.*, precipice.
précipiter, to precipitate, to cast down; **se —,** to rush.
précision, *f.*, precision.
prédécesseur, *m.*, predecessor.
prédilection, *f.*, predilection.
préféré, -e, *adj.*, chosen, favorite.
préférence, *f.*, preference.
préférer, to prefer.
préfet, *m.*, prefect.
premier, première, first.
première, *f.*, first class.
prenais, prenais, prenait, *etc., imp. indic.* of **prendre,** to take.
prendre, to take, to buy; **— garde,** to notice; to take care.
préparer, to prepare; **se —,** to get ready.
près, *adv.*, near; **à peu —,** almost, closely; **— de,** nearer, by.
presbytère, *m.*, priest's house.
prescrire, to prescribe.
présence, *f.*, presence.
présent, *m.*, present, gift; present time; *adj.*, present.

présentation, *f.*, presentation, introduction.

présenter, to present; to offer, to introduce; se —, to appear.

président, *m.*, president.

presque, *adv.*, almost, hardly.

presser, to press; to hurry; se —, to crowd.

prêt, –e, ready.

prétendre, to assert, to maintain, to lay.

prétention, *f.*, pretention.

prêter, to lend.

prêtre, *m.*, priest.

preux, *m.*, knight.

prier, to pray, to ask.

prière, *f.*, prayer.

primeur, *f.*, early vegetables.

principal, –e, *adj.*, important.

printemps, *m.*, spring.

pris, *past part. of* prendre, taken.

prise, *f.*, grip; aux prises, fighting with.

prison, *f.*, prison.

prisonnier, *m.*, prisoner.

prix, *m.*, prize, price.

probablement, probably.

procédé, *m.*, proceeding.

procession, *f.*, procession.

proche, *adj.*, near.

proclamer, to proclaim.

procurer, to procure.

prodigieux, prodigieuse, prodigious, gigantic.

produire, to produce; se —, to occur, to come on.

produit, *m.*, product.

profane, not religious; social.

professeur, *m.*, professor.

profiter, to profit, to take advantage.

profond, –e, deep.

profondeur, *f.*, depth, length.

progrès, *m.*, progress.

prolonger, to prolong, to lengthen.

promenade, *f.*, promenade, walk, ride.

promener, to walk, to parade; se —, to walk, to take a ride, to go riding.

promeneur, *m.*, walker, pedestrian.

promenoir, *m.*, walk.

prononcer, to pronounce, to utter.

propice, propitious.

proportion, *f.*, proportion.

proportionné, –e, proportioned.

proportionner, to proportion.

propos, *m.*, talk; à —, by the way; suited.

proposition, *f.*, proposition.

propre, clean; own.

propreté, *f.*, cleanliness.

propriétaire, *m.*, proprietor.

propriété, *f.*, property.

protection, *f.*, protection.

protéger, to protect.

proue, *f.*, prow.

prouver, to prove.

provenir, to come from.

providence, *f.*, providence.

provincia (*Spanish*), *f.*, province.

provincial, –e, provincial.

provision, *f.*, provision; faire — de, to buy.

prudemment, prudently, cautiously.

prudence, *f.*, caution.
prudent, -e, prudent.
Prusse, *f.*, Prussia.
Prussien, *m.*, Prussian.
public, publique, *adj.*, public.
publique, *m.*, public.
publiquement, publicly.
puis, afterwards, furthermore,
  then.
puiser, to dip.
puisque, because.
Pullman, *m.*, sleeping car.
pur, -e, pure.
pureté, *f.*, clearness, purity.
purifié, -e, *adj.*, purified.
pus, pus, put, pûmes, pûtes,
  purent, *past def. of* pouvoir.
Pyrénées, *f.*, Pyrenees.

quadrangle, *m.*, quadrangle.
quai, *m.*, dock.
qualité, *f.*, quality.
quand, when ; — même, notwithstanding, anyhow.
quant à, as to, as to, as for.
quantité, *f.*, quantity, number.
quarantaine, *f.*, about forty.
quarante, forty.
quart, *m.*, fourth.
quartier, *m.*, quarter.
quatorze, *adj.*, fourteen.
quatre, four.
quatrième, fourth.
que, *pron.*, who, which, whom.
que, *conj.*, that, because,
  whether ; ne . . . —, only,
  except ; aussi . . . —, as
  . . . as ;   plus . . . —,
  more than.
quel, quelle, *interrog. pron.*,
  who, which ; *interrog. adj.*,
  which? what?

quelconque, *adj.*, any.
quelque, *adj.*, some, any ; *pl.*,
  a few.
quelquefois, sometimes.
quelqu'un, *indef. pron.*, *pl.*,
  quelques-uns, quelques-
  unes, somebody, some.
question, *f.*, question.
queue, *f.*, tail.
qui, *rel. pron.* who, he who,
  one who ; *interrog.*, who?
  — . . . —,   some . . .
  others.
quinzaine, *f.*, about fifteen;
  fortnight.
quinze, fifteen.
quinzième, *adj.*, fifteenth.
quitter, to leave.
quoi, what ; de —, where-
  with, the means.
quoique, although.

race, *f.*, race.
racine, *f.*, root.
raconter, to tell, to narrate.
radieux, radieuse, radiant,
  bright.
radis, *m.*, radish.
rafraîchir, to refresh ; se —,
  to take a drink *or* a lunch.
rail, *m.*, rail.
raison, *f.*, reason, cause ;
  avoir —, to be right.
raisonnable, reasonable.
ramasser, to gather.
ramener, to bring back.
ramer, to row.
rang, *m.*, rank, place, position,
  order.
rangée, *f.*, row.
ranger, to set.
rapide, rapid.

rapidement, rapidly.

rapidité, *f.*, rapidity.

rappeler, to recall, to remind of ; se —, to remember.

rapport, *m.*, relation ; par — à, as to.

rapporter, to bring back.

rare, rare.

rarement, rarely.

rassembler, to assemble.

rat, *m.*, rat.

rave, *f.*, turnip.

ravin, *m.*, ravine.

rayon, *m.*, ray ; spoke.

réalisation, *f.*, fulfillment.

réaliser, to realize.

réalité, *f.*, reality.

recensement, *m.*, population.

réceptacle, *m.*, receptacle.

réception, *f.*, reception.

recevoir, to receive.

rechanger, to change again.

recherché, esteemed.

rechercher, to seek, to attach great importance to.

récit, *m.*, narrative.

réciter, to recite, to give.

reçoit, *see* recevoir.

récolte, *f.*, crop.

récolter, to harvest.

recommencer, to begin again.

reconduire, to lead back.

reconnaître, to recognize.

recourber, to bend, to curb.

recouvert, covered.

recouvrir, to cover ; to re- gain.

reçu, *past part. of* recevoir, received ; *noun m.*, receipt.

recueillement, *m.*, thinking, contemplation.

recueillir, to gather.

reculer, to fall *or* to draw back.

redingote, *f.*, coat.

redire, to retell.

réduire, to reduce.

réel, –le, real.

réfectoire, *m.*, refectory.

refermer, to close again.

refléter, to reflect.

réflexion, *f.*, thought, reflec- tion.

refuge, *m.*, refuge, island (safety-place in a wide street).

refuser, to refuse.

régal, *m.*, treat.

regard, *m.*, look.

regardant, *m.*, spectator.

regarder, to look, to look at, to watch.

régime, *m.*, régime, manner of living.

régiment, *m.*, regiment.

région, *f.*, region.

règlement, *m.*, rule, regula- tion.

régner, to reign.

regretter, to regret.

régularité, *f.*, regularity.

reine, *f.*, queen.

rejeter, to throw (back), to cast up, to throw down.

rejoindre, to join, to rejoin.

réjouir, to rejoice.

relever, to relieve ; to raise ; to roll up ; se —, to get up.

relief, *m.*, relief, *pl.*, scraps.

relier, to bind, to connect.

religieux, religieuse, religious.

relique, *f.*, relic ; remains.

relire, to read again.

remarquable, remarkable.

remarquer, to remark; to observe.

remède, *m.*, remedy.

remédier, to remedy.

remerciement, *m.*, thanks.

remercier, to thank.

remettre, to put back, to put; se — en marche, to start again.

remonter, to enter.

rempart, *m.*, rampart, wall.

remplacer, to replace.

remplir, to fill; to conform with.

remporter, to win.

remuer, to stir, to move.

Renaissance, *f.*, Renaissance.

rencontre, *f.*, meeting; aller à la —, to go to meet.

rencontrer, to meet; se —, to be met.

rendez-vous, *m.*, meeting place; appointment.

rendre, to give (back); to do, to render, to take, to pay; se —, to go.

renommé, -e, renowned.

renseignement, *m.*, information.

renseigner, to inform.

rentier, *m.*, man with income.

renvoyer, to send back.

répandre, to pour, to scatter, to give forth.

réparer, to repair.

repartir, to leave again.

repêcher, to fish up again.

repercuter, se —, to resound.

répéter, to repeat.

répliquer, to reply.

replonger, to plunge again.

répondre, to answer.

réponse, *f.*, answer.

reporter, se —, to carry one-self back.

reposer, to rest; se —, to take a rest; to rest.

repoussant, -e, *adj.*, repulsive.

repousser, to repulse.

reprendre, to take again, to resume, to answer.

représentation, *f.*, representation, presentation.

représenter, to represent.

reproduire, to reproduce.

république, *f.*, republic.

réputation, *f.*, reputation.

requin, *m.*, shark.

réserver, to reserve.

résidence, *f.*, residence.

résistance, *f.*, resistance.

résister à, to resist.

résolu, resolved.

résoudre, to determine.

respect, *m.*, respect.

respecter, to respect.

respirer, to breathe.

responsabilité, *f.*, responsibility.

responsable, responsible.

ressemblance, *f.*, resemblance.

ressembler, to resemble.

ressentir, to feel.

ressortir, to stand out.

ressource, *f.*, resource.

restaurant, *m.*, restaurant.

restaurer, to restore.

reste, *m.*, rest, scrap.

rester, to remain, to be over.

résultat, *m.*, result.

résumé, *m.*, summary.

résumer, to summarize.

rétablir, to reëstablish; se —, to get better.

retardataire, *m.*, laggard.

retarder, to delay.

retenir, to retain.

retentir, to resound, to sound, to reverberate.

retirer, to withdraw, to draw back; se —, to withdraw.

retour, *m.*, return; être de —, to be back.

retourner, to return; se —, to turn around; s'en —, to go back.

retracer, to retrace.

retraite, *f.*, retreat.

retrouver, to find again, to recover.

réunir, to reunite; se —, to gather.

réussir, to succeed.

rêve, *m.*, dream.

réveiller, to awaken.

revendre, to sell again.

revenir, to come back, to return, to amount to.

revenu, *m.*, income, revenue.

révérence, *f.*, reverence, bow.

revers, *m.*, reverse; au —, on the other side.

rêveur, rêveuse, *adj.*, dreamy, meditative.

revoir, to see again; to revise; au —, I hope to see you again.

révolution, *f.*, revolution.

revue, *f.*, review, survey.

Rhin, *m.*, Rhine.

rhume, *m.*, cold.

ribambelle, *f.*, swarm.

riche, *adj., and noun m.*, rich.

richement, *adv.*, richly.

richesse, *f.*, richness, wealth.

ridé, –e, *adj.*, wrinkled.

rien, nothing; anything.

rigoureux, rigoureuse, rigorous, stern.

ripère, *m.*, reaper.

rire, *m.*, laugh.

rire, to laugh.

risquer, to risk.

rive, *f.*, bank.

rivière, *f.*, river.

robe, *f.*, robe, dress.

robuste, robust.

roche, *f.*, rock.

rocher, *m.*, rock.

roi, *m.*, king.

romain, –e, *adj.*, Roman.

Romain, *m.*, –e, *f.*, Roman.

roman, *m.*, novel.

rompre, to break.

rond, –e, *adj.*, round.

ronger, to gnaw.

rose, *f.*, rose; *adj.*, pink.

rosier, *m.*, rose-bush.

rôt, *m.*, roast.

rôtir, to cook.

roue, *f.*, wheel.

rouge, *adj.*, red, rosy, ruddy; *noun m.*, red.

rougeâtre, reddish.

roulement, *m.*, rolling.

rouler, to roll.

roussette, *f.*, seadog.

route, *f.*, road, journey; en —, traveling; grande —, highway.

roux, rousse, red-headed.

royal, *adj.*, royal.

royaume, *m.*, kingdom.

royauté, *f.*, royalty.

ruban, *m.*, ribbon.

rue, *f.*, street.

ruer, se —, to throw oneself, to charge.

ruine, *f.*, ruin.
ruisseau, *m.*, brook.
rustique, *m.*, rustic.

sable, *m.*, sand.
sabot, *m.*, wooden shoe.
sabre, *m.*, sabre.
sac, *m.*, sack.
sacrifice, *m.*, sacrifice.
sage, *m.*, sage, wise man.
sage, *adj.*, wise.
sagesse, *f.*, wisdom.
sain, –e, *adj.*, healthful, sound.
saint, –e, *adj.*, holy; *m. or f.*, saint.
saisir, to seize.
saison, *f.*, season.
salade, *f.*, salad, lettuce.
saladier, *m.*, salad bowl.
salaire, *m.*, salary.
salamandre, *f.*, salamander.
salle, *f.*, hall; — à manger, dining-room; — d'attente, waiting-room.
salon, *m.*, drawing-room.
saluer, to greet, to salute.
sanctuaire, *m.*, church.
sang, *m.*, blood.
sang-froid, *m.*, coolness.
sans, without.
santé, *f.*, health; Health Prison.
sapin, *m.*, pine.
sarcophage, *m.*, sarcophagus, tomb.
satisfaire, to satisfy.
satisfaisant, satisfactory.
satisfait, –e, *adj.*, pleased.
saturé, –e, saturated.
sauf, sauve, *adj.*, safe.
saule, *m.*, willow.
saumon, *m.*, salmon.

saurais, saurais, saurait, saurions, sauriez, sauraient, *condit. of* savoir, to know.
saut, *m.*, leap.
sauter, to jump.
sauvage, savage, wild.
sauver, to save.
savant, *m.*, learned man; *adj.*, learned.
savoir, *m.*, knowledge.
savoir, to know, to know how.
savoir-faire, *m.*, ability, shrewdness.
savoir-vivre, *m.*, good behavior, knowledge of the ways of the world.
savon, *m.*, soap.
savonné, –e, *adj.*, soapy.
savonner, to soap in.
savoureux, *adj.*, savory.
scandale, *m.*, scandal.
scène, *f.*, scene, stage.
science, *f.*, science.
scrupule, *m.*, reluctance.
scrupuleusement, scrupulously.
sculpter, to sculpture.
sculpteur, *m.*, sculptor.
sculpture, *f.*, sculpture, carving.
se, *pron.*, *reflexive*, oneself, himself, herself, themselves, each other, one another.
sec, sèche, *adj.*, dry, sharp.
sécher, to dry.
second, –e, second.
secouer, to shake.
secours, *m.*, help.
secret, secrète, *adj.*, secret; *noun m.*, secret.
secrètement, secretly.
section, *f.*, section.

séculaire, secular, old.
Seine, *f.*, the Seine River.
seigneur, *m.*, lord.
séjour, *m.*, stay, dwelling.
sel, *m.*, salt.
selle, *f.*, saddle.
semaine, *f.*, week.
semblable, *adj.*, similar; equal.
semblant, *m.*, semblance.
sembler, to seem.
semelle, *f.*, sole.
semences, *f.*, seed.
señor (*Spanish*), *m.*, gentleman; Mr.
sentier, *m.*, path.
sentinelle, *f.*, sentinel.
sentir, to feel.
séparer, to separate.
sept, seven.
serai, seras, sera, serons, serez, seront, *fut.* of être, to be.
serais, *etc.*, *condit.* of être.
sérénade, *f.*, serenade.
sergent, *m.*, policeman.
sérieux, sérieuse, serious.
serpent, *m.*, serpent.
serrer, to press, to shake (hands); se —, to be crushed.
sert, 3d *pers. pres. indic.* of servir, to serve.
servante, *f.*, servant.
service, *m.*, service.
serviette, *f.*, napkin.
servir, to serve, to be good for, to be used for.
ses, *pl.* of son *and of* sa, their.
seul, –e, alone.
seulement, only.
si, if ; —ce n'est, except.

si, yes, indeed.
siècle, *m.*, century.
siège, *m.*, seat; siege.
siffler, to whistle.
sifflet, *m.*, whistle.
signal, *m.*, signal.
signe, *m.*, sign.
silence, *m.*, silence.
silhouette, *f.*, shadow, silhouette.
simple, simple.
simplement, simply.
simplicité, *f.*, simplicity.
sincère, *adj.*, sincere.
sire, *m.*, sire, *address to a king.*
situé, situated.
six, six.
social, –e, social.
société, *f.*, society.
sœur, *f.*, sister.
soie, *f.*, silk.
soient, *pres. subjunc.* of être.
soif, *f.*, thirst.
soigner, to care for; bien soigné, well-groomed.
soigneusement, carefully.
soin, *m.*, care, attention.
soir, *m.*, evening.
soirée, *f.*, evening; evening entertainment.
soixante, sixty.
soixante-dix, seventy.
soixante-quinze, seventy-five.
sol, *m.*, ground.
soldat, *m.*, soldier.
soleil, *m.*, sun.
solennel, –le, solemn.
solide, solid, sturdy, firm.
solidité, *f.*, strength.
solitaire, solitary, lonesome.
solitude, *f.*, solitude.

sombre, dark.

sommeil, *m.*, sleep.

sommes, *1st pers. pres. indic. of* être, to be.

sommet, *m.*, summit, top.

somptueux, somptueuse, *adj.*, sumptuous.

son, *adj.*, his, her, its.

son, *m.*, sound.

songer, to dream.

sonnant, −e, *adj.*, clanking.

sonner, to ring, to sound.

sonnette, *f.*, bell.

sonore, sonorous.

sort, *m.*, fate.

sortir, to go out; to leave; *m.*, exit.

sot, sotte, *adj.*, foolish.

sotte, *f.*, crazy woman; *adj.*, crazy.

sou, *m.*, cent.

soudain, −e, sudden; *adv.*, suddenly.

soudainement, suddenly.

souffle, *m.*, breath.

souffler, to breathe, blow.

souffrance, *f.*, suffering.

souffrir, to suffer.

souhaiter, to wish.

soulier, *m.*, shoe.

soupe, *f.*, soup.

souper, to eat supper.

souper, *m.*, supper.

souple, *adj.*, pliant.

source, *f.*, source; spring.

sourire, to smile; *noun m.*, smile.

sous, under, into.

souterrain, −e, *adj.*, underground.

souvenir, *m.*, relic.

souvent, often.

soyeux, soyeuse, silky.

soyez, *imperat. of* être, to be.

Sparte, *f.*, Sparta.

spécial, −e, *adj.*, special.

spectacle, *m.*, spectacle.

spectre, *m.*, specter.

spirale, *f.*, spiral.

splendeur, *f.*, splendor.

splendide, splendid.

station, *f.*, station.

stationné, stationed.

statistique, *f.*, statistics.

statue, *f.*, statue.

statuesque, *adj.*, stately.

stellaire, star-shaped.

suave, *adj.*, sweet, fragrant.

subalterne, *adj.*, subordinate; *noun m.*, assistant.

subdivisé, −e, *adj.*, subdivided.

subir, to undergo, to suffer, to feel.

subitement, suddenly.

sublime, sublime.

subsister, to last.

successeur, *m.*, successor.

sud, *m.*, south.

suffire, to be sufficient, to suffice.

suffisant, −e, *adj.*, sufficient, ample.

suis, *pres. indic. of* étre *and* suivre, (I) am, (I) follow.

Suisse, *f.*, Switzerland.

suite, *f.*, retinue; de —, now.

suivant, −e, *adj.*, following.

suivre, to follow.

sujet, *m.*, subject, object.

superbe, superb.

superbement, *adv.*, beautifully.

superficie, *f.*, area.

supérieur, –e, superior, upper.
superstition, f., superstition.
supplémentaire, supplementary, additional.
supplice, m., punishment, execution.
supposer, to suppose, to assume.
suprêmement, adv., supremely.
sur, on, about, to.
sûr, –e, adj., sure.
sûreté, f., safety.
surpasser, to surpass.
surprendre, to surprise, to overtake.
surpris, past part. of surprendre.
surprise, f., surprise.
surtout, especially.
surveillance, f., watch.
surveiller, to watch.
survenir, to come along.
survint, past def. of survenir, to come along.
suspendre, to hang.
suspendu, –e, suspended.
symbole, m., emblem, symbol.
symboliser, to typify.
sympathique, adj., sympathetic.
système, m., system.

tabac, m., tobacco.
table, f., table.
tableau, m., tableau, picture, painting.
tablette, f., tablet.
tablier, m., apron.
tâche, f., task.
tache, f., stain, spot.
tâcher, to try.

taille, f., figure, shape; height.
tailler, to cut, to carve.
tailleur, m., tailor.
taire, se —, to keep silence.
talent, m., talent.
talon, m., heel.
tambour, m., drum, drummer.
tandem, m., tandem; en —, one in front of the other.
tandis que, while.
tangible, adj., tangible.
tanné, –e, sunburnt.
tant, so much; — de, so much, as many.
tapage, m., noise.
tapis, m., carpet.
tapissé, carpeted.
tard, adv., late.
tarif, m., price list.
tas, m., heap.
tâtonner, to grope.
tâtons, à —, gropingly.
taureau, m., bull.
tauromachie, f., bull-fight.
technique, technical.
teint, m., color, complexion.
tel, telle, such.
tellement, such, so much.
tempérament, m., temperament.
tempête, f., tempest, storm.
temple, m., temple.
temps, m., time, weather.
tendre, adj., tender, soft.
tendre, to hold out.
ténèbres, f., darkness.
tenir, to hold, to keep, to depend on; se —, to stand.
tentation, f., temptation.
tentative, f., effort.
terminer or se —, to end.

terrain, *m.*, land.

terre, *f.*, land, earth.

terreur, *f.*, terror.

Terre-Neuve, *f.*, Newfoundland.

Terre-Sainte, *f.*, Holy Land.

terrible, *adj.*, fearful.

terriblement, terribly.

tête, *f.*, head.

théâtre, *m.*, theater.

théologie, *f.*, theology.

thérapeutique, *adj.*, curative.

tiens, tiens, tient, tenons, tenez, tiennent, *pres. indic. of* tenir, to hold.

tiers, *m.*, third.

tige, *f.*, stem.

tilleul, *m.*, linden tree.

timide, timid.

timidement, timidly.

tins, tins, tint, tinrent, *past def. of* tenir, to hold.

tintamarre, *m.*, noise.

tirer, to draw, to pull; to ring; to fire, to shoot.

tison, *m.*, firebrand.

titre, *m.*, title.

toge, *f.*, toga.

toi, you.

toile, *f.*, linen, cloth; painting.

tolérer, to tolerate.

toit, *m.*, roof.

tombe, *f.*, tomb.

tombeau, *m.*, tomb.

tombée, *f.*, fall; — de la nuit, nightfall.

tomber, to fall.

tome, *m.*, volume.

ton, *m.*, tone, sound.

tonnerre, *m.*, thunder.

torche, *f.*, torch.

tordu, –e, *adj.* twisted.

toréador, *m.*, bullfighter, toreador.

torrent, *m.*, torrent.

tortue, *f.*, turtle.

torture, *f.*, torture.

tôt, *adv.*, early.

touche, *f.*, key, *of piano or organ.*

toucher, to touch.

touffe, *f.*, tuft.

toujours, ever, always.

tour, *f.*, tower; Tour Eiffel, the Eiffel Tower, the highest building in the world.

tour, *m.*, turn; tour.

Tourangeaux, *m. pl.*, people of Touraine.

tourbillon, *m.*, whirlwind.

touriste, *m.*, tourist, traveler.

tourmenter, to annoy, to torment.

tournant, *m.*, corner; *adj.*, winding.

tournée, *f.*, round(s).

tourner *or* se —, to turn.

tous, all (*pl. meaning* all men, all things, *etc.*).

tout, everything, every, all; full; *adv.*, quite.

tout à coup, suddenly.

tout à fait, altogether.

toute, *f. of* tout, all; toutes, *pl. of* toute, all.

trace, *f.*, trace.

tracer, to trace, to lay out, to mark.

traduire, to translate.

trahir, to betray.

train, *m.*, train; en —, busy; en — de, in the act of.

traire, to milk.

traitement, *m.,* treatment.
traiter, to treat.
trajet, *m.,* crossing.
tramway, *m.,* trolley car.
tranche, *f.,* slice.
tranquille, tranquil, still.
tranquillement, quietly.
tranquillité, *f.,* stillness.
transférer, to transfer.
transporter, to transport, to carry; se —, to be carried.
travail, *pl.* **travaux,** *m.,* work.
travailler, to work.
travers, à —, across, through; **en** —, across, through; **au** —, through.
traversée, *f.,* crossing, trip.
traverser, to traverse, to cross, to pass over.
trèfle, *m.,* clover.
treize, thirteen.
tremblement, *m.,* trembling; **— de terre,** earthquake.
trembler, to tremble.
trembloter, to shiver.
trempé, -e, *adj.,* wet.
trentaine, *f.,* about thirty.
trente, thirty.
très, very (much).
trésor, *m.,* treasure.
tribune, *f.,* stand, pavilion.
tricolore, *adj.,* three-colored.
triomphe, *m.,* triumph.
triple, *m.,* three times as much.
trirème, *f.,* trireme.
triste, sad.
tristesse, *f.,* sadness.
Trocadéro, the Trocadero, an exposition building in Paris named for the famous fort

in the Bay of Cadiz, which was taken by assault by the French in 1823.
Troie, *f.,* Troy.
trois, three.
troisième, third.
tromper, to deceive; **se** —, to be mistaken.
trompette, *f.,* trumpet.
trompeur, trompeuse, *adj.,* deceiving, deceitful.
trop, too much, too.
trophée, *m.,* trophy.
trottoir, *m.,* sidewalk.
trou, *m.,* hole.
troubadour, *m.,* troubadour.
troubler, to disturb.
troupeau, *m.,* herd.
trouvaille, *f.,* find.
trouver, to find.
truffe, *f.,* truffle.
tu, you.
tube, *m.,* tube.
tuer, to kill.
tuile, *f.,* tile.
Turones (*Latin*), Turonians.
Turquie, *f.,* Turkey.
tyrannie, *f.,* tyranny.

un, une, one, a, some.
uni, -e, united, level, smooth.
uniforme, *m.,* uniform.
unique, unique, only.
uniquement, in a unique way, only.
unir, to unite.
unité, *f.,* unity.
univers, *m.,* world.
universalité, *f.,* prevalence.
universel, -le, universal.
université, *f.,* university.
usage, *m.,* use; custom.

usé, usée, used, worn, worn-out.

s'user, to wear out, to be worn out.

usure, f., wear and tear.

utile, adj., or noun m., useful.

vacances, f. pl., vacation.

vache, f., cow.

vague, f., billow, wave.

vaillamment, adv., bravely.

vain, -e, adj., vain; en —, in vain.

vaisseau, m., ship.

valeur, f., worth, value, valor.

valeureux, adj. m., valorous, brave.

valise, f., valise.

vallée, f., valley.

valoir, to be worth; to win.

valse, f., waltz.

vampire, m., vampire.

vandalisme, m., destructiveness.

vanité, f., pride.

vapeur, f., vapor, steam.

vareuse, f., jumper.

varié, -e, adj., varied.

variété, f., variety.

vase, f., mud; m., vase.

vaste, adj., great.

vaudrait, see valoir.

veau, m., calf.

vécu, past part. of vivre.

végétal, -e, adj., vegetable.

végétaux, m. pl. of végétal, vegetable.

véhicule, m., vehicle.

veille, f., watch; — de, day before.

veiller, to watch.

veine, f., vein.

velours, m., velvet.

vendre, to sell.

vénérable, venerable.

venir, to come; s'en —, to come on.

vent, m., wind.

vénitien, Venetian; lanterne vénitienne, Japanese or Chinese lantern.

vente, f., sale.

venu, m., comer.

venue, f., coming.

ver, m., worm.

véracité, f., veracity.

verdure, f., foliage.

verger, m., orchard.

véritable, adj., real.

vérité, f., truth.

verre, m., glass.

vers, toward.

verse, f., laying; à —, in torrents.

verser, to pour.

vert, -e, green.

vertu, f., virtue.

vêtement, m., clothing, garment.

vétérinaire, veterinary.

vêtir, to clothe.

veuillez, 2d pers. imper. of vouloir, to be willing.

veut, 3d pers. pres. indic. of vouloir, to will.

viande, f., meat.

vibrer, to vibrate.

victime, f., victim.

victoire, f., victory.

vide, adj., empty.

vie, f., life, cost of living.

vieillard, m., old man.

vieille, *f.*, old woman.
vieillesse, *f.*, old age.
vient, *see* venir.
vierge, *adj.*, virgin; primeval.
vieux, vieille, *adj.*, old.
vif, vive, *adj.*, lively.
vigoureux, vigoureuse, vigorous.
vigne, *f.*, vine, vineyard.
vigueur, *f.*, vigor.
village, *m.*, village.
villageois, *m.*, villager.
ville, *f.*, town.
vîmes, *see* voir.
vin, *m.*, wine.
vinaigre, *m.*, vinegar.
vingt, twenty.
vingtième, twentieth.
vins, vins, vint, . . . vinrent, *past def. of* venir, to come.
violent, –e, *adj.*, violent, vigorous.
violet, violette, *adj.*, violet, purple.
virent, *see* voir.
Virginie, *f.*, Virginia.
visage, *m.*, face.
vis-à-vis, *adv.*, face to face; opposite.
visible, visible.
visière, *f.*, visor.
visite, *f.*, visit.
visiter, to visit.
visqueux, visqueuse, *adj.*, slimy.
vite, quick, rapidly.
vitesse, *f.*, speed.
vitrail, *pl.* vitraux, *m.*, stained glass window.
vitre, *f.*, window-pane, glass.
vitré, –e, *adj.*, glass-covered.
vitrine, *f.*, show-window.

vivant, –e, *adj.*, living.
vivement, *adv.*, very much.
vivre, to live; *noun m.*, provision, victual, dish.
voici, see here, here is.
voie, *f.*, road.
voient, *see* voir.
voilà, see there, there is.
voile, *m.*, veil; mist; *f.*, sail.
voir, to see; se —, to be seen.
voisin, *m.*, –e, *f.*, neighbor; *adj.*, neighboring.
voisinage, *m.*, neighborhood.
voiture, *f.*, cab, car.
voiturer, to carry.
voix, *f.*, voice.
vol, *m.*, flight; robbery.
volée, *f.*, flight, swing.
voler, to fly.
volontairement, willingly.
volontiers, willingly.
volume, *m.*, volume, book.
volumineux, volumineuse, voluminous, ponderous.
vont, *see* aller.
votre, your.
vouloir, to wish; to try; — dire, to mean.
voulu, *past part. of* vouloir, willed, wished.
vous, you.
vous-même, *intens. pron.*, yourselves, yourself.
voûte, *f.*, vault, ceiling, arch.
voyage, *m.*, voyage, trip, travel; de —, traveling.
voyager, to travel.
voyageur, *m.*, traveler, passenger.
voyez, *imperat. of* voir, to see.
vrai, –e, true.

vraiment, truly.
vu, *past part. of* **voir**, seen.
vue, *f.*, view, sight.
vulgaire, vulgar, common.

wagon, *m.*, car (of a railroad).

y, there, them, to them ; **il — a**, there is, there are ; ago.

Yankee, *m.*, American, Yankee.
yeux, *pl. of* **œil**, eye.

zéro, *m.*, zero.
zoologie, *f.*, zoölogy.
zoologique, *adj.*, zoölogical.
zouave, *m.*, zouave (infantry soldier).

The New Chardenal

A revision of Chardenal's Complete French Course. 12mo, 440 pages.

THIS book is a revision of the well-known Complete Course by Chardenal. The editor has been careful to retain in the new edition the qualities of simplicity, thoroughness, and careful grading which contributed so largely to the success of the former book, especially in its excellent revision by Mr. Brooks.

In the new edition the exercises for translation have been slightly changed with a view to furnishing additional material for conversational work. In many of the English exercises there are series of questions which cannot be answered by " Yes " or " No." These questions are intended as a basis for conversational work in the classroom and may all be answered from material furnished by the preceding lessons. To stimulate conversation still further, a list of expressions for classroom use has been prepared. A number of fresh and amusing stories for easy reading have been added.

The book contains a colored map of France and twenty handsome full-page half-tones. Every lesson begins with a proverb or well-known French saying which may be used for memorizing.

An admirable feature of Chardenal is the Appendix, which contains all the necessary rules of grammar, notably those for the formation of the plural of feminine nouns and adjectives. There are complete tables of the conjugations of regular and irregular verbs and other useful lists. To the Appendix has been added a clear, simple, scientific study of French *Phonetics* by M. Mercier, of Harvard University.

The Vocabulary is a unique feature of the book. The English-French and French-English vocabularies are arranged to run parallel to each other on the same page. This arrangement is of value for comparison and makes it impossible for the pupil to turn inadvertently to the wrong vocabulary. The practical value of the vocabulary is increased by the insertion of many words and phrases of frequent occurrence in ordinary conversation.

The new Chardenal is the most popular and the most successful of the many text-books for beginners in French.

Conversational French Reader

By HENRY BIERMAN and COLMAN D. FRANK, of DeWitt Clinton High School, New York City. 16mo, cloth, 263 pages. Price, 80 cents.

THE Conversational French Reader is intended to be used in the first year of the study of French. It contains a large number of short, interesting stories, each one so brief that it can be finished in a single lesson. The book is illustrated by original drawings. Conversational exercises are based on the stories.

This will be found to be the most interesting, attractive, and simple elementary reader in French. It can be begun during the first week of school.

L'Abbé Constantin

By LUDOVIC HALÉVY. Edited by EDWARD MANLEY, of the Englewood High School, Chicago. 16mo, cloth, 275 pages. Price, 50 cents.

THIS little book is the first of a series of French classics. The editor is well known for his excellent work with French stories.

This edition is more attractive than its competitors in its clear type, excellent paper, and handsome binding. It contains a dozen half-tone pictures illustrating the story. These were reproduced from the original French drawings.

The book contains notes and vocabulary and English exercises for retranslation into French. There are also complete tables of irregular verbs and the official wording of the latest rules for correct spelling.

La Tulipe Noire

By ALEXANDRE DUMAS. Edited by O. B. SUPER. 16mo, cloth, 265 pages. Price, 50 cents.

THIS edition of La Tulipe Noire has the same attractive features as Manley's L'Abbé Constantin. The text has been slightly abridged for classroom purposes. The book contains notes, exercises for retranslation, and a vocabulary.

A Spanish Grammar

By M. A. DE VITIS, of the Frank Louis Soldan High School, St. Louis. 12mo, cloth, 352 pages. Price, $1.25.

NO effort has been spared to make this the most practical Spanish grammar in existence. It is meant for beginners, especially for those who may have forgotten their English grammar. The book is simple, clear, and well graded.

A combined method of conversation and translation has been adopted, and the exercises are based on connected thought.

The aim has been to keep the number of words as small as is consistent with variety and life in the exercises, and to use common, every-day words and expressions. The Vocabulary of the book is taken from domestic and commercial Spanish.

Every lesson begins with a proverb for memorizing. The questions in each lesson are intended as a basis for conversational work in the classroom, and may all be answered from the material in the preceding lessons. There are also oral exercises.

Reviews occur every seventh lesson. There is a grammar review, written in Spanish, which may be omitted at the discretion of the teacher, without affecting the continuity of the regular Spanish lessons. Idiomatic exercises are provided, and may be used in place of this review of Spanish grammar.

Especially interesting and practical will be found the full treatment of the past tenses; the simple, concise, but adequate handling of the subjunctive mode, which covers five lessons of the book; the thorough lesson on conditions and on the translations of " may," " might," " could," " would," and " should "; the lessons on the prepositions " a," " de," " con," " para," and " por."

The appendix, besides containing the usual grammatical matter, has a chapter on Spanish social usage, and a full treatment of Spanish letter-writing and business correspondence.

The book is not only practical, but exceedingly attractive. More than twenty full-page half-tones illustrate such subjects of interest as the Alhambra at Granada, the Mosque at Cordova, the Giralda at Seville. These are briefly described in the text.

Easy Spanish Plays

By RUTH HENRY, State Normal School, Los Angeles, California. 16mo, cloth, 91 pages. Price, 65 cents.

THESE plays will be of service not only as an easy reading text, suited to beginners in the study of Spanish, but also will afford excellent conversational material. There are eight short plays, all of which have been produced before audiences by the author's pupils and have received a warm welcome. The little skits arouse a keen interest in the language. The memorizing of plays and the rehearsals consequently necessary fix the idioms and commonplace expressions in the mind in a way no other drill can do.

There are notes to supplement the vocabulary giving the meaning of Spanish idioms and explaining difficult subjunctives.

The book contains hints for the forming of Spanish Clubs, accompanied by a list of parliamentary terms. There are also directions for Spanish games.

El Capitán Veneno

By PEDRO DE ALARCÓN. Edited by GUY E. SNAVELY, Professor of Romance Languages at Allegheny College, Meadville, Pennsylvania. 16mo, cloth, 168 pages. Price, 65 cents.

EL Capitán Veneno is unquestionably the most popular *novela*, or short story, in modern Spanish literature. The story is amusing and clever, and holds the interest from first to last. It is in very simple Spanish and is suitable for reading before the end of the first year.

The book is attractively printed and bound, and contains a portrait and a brief life of the author. The notes dispose of the few difficulties which occur in the text. There are conversational exercises, questions, and composition based on the text. The practical nature of the notes and exercises is a special feature of this edition.

Every attention has been given to making this the most attractive edition of the story now on the market.